D1473577

Thank you to: Brian,
Alex, Ian G, Ian D, Dimitri, Michael,
Marian, Georgina, Marci, Simon,
Philippe, Jim, Jean Marc, Isla,
Paola, Paul, Evelyn
for being the Best Partners
and Friends
This is your Book!
Marcello

ALL TOGETHER NOW

TOUS ENSEMBLE MAINTENANT   ORA TUTTI INSIEME

AN UPDATE ON

MINALE TATTERSFIELD

DESIGN STRATEGY

EDITORS	Marcello Minale, Edward Booth-Clibborn, Paola Porta
ART DIRECTION	Marcello Minale and Helena Lekka
BOOK DESIGN	Helena Lekka
TEXT	Lucy Hughes
TRANSLATION	Guido Lagomarsino and Christiane Vaugeois
PRODUCTION	Paul Astbury
PRINTERS	Dai Nippon Printing (Hong Kong)
PUBLISHER	Booth-Clibborn Editions

| DISTRIBUTORS UK & WORLDWIDE | Internos Books 12 Percy Street London W1P 9FB Tel: 0171 637 4255 Fax: 0171 637 4251 |
| ITALY | Ulrico Hoepli Editore Spa. 20121 Milano Via Hoepli 5 Tel: (02) 86 48 71 Fax: (02) 805 2886 |

Copyright © 1998 Minale Tattersfield and Partners Ltd., The Courtyard, 37 Sheen Road, Richmond, Surrey TW9 1AJ, UK. Telephone: 0181 948 7999, Fax: 0181 948 2435, ISDN: 0181 332 2160, Email: mtp@mintat.demon.co.uk, http://www.mintat.co.uk

Copyright © 1998 Booth-Clibborn Editions, 12 Percy Street, London W1P 9FB, UK. Telephone: 0171 637 4255 Fax: 0171 637 4251 Email: info@internos.co.uk http://www.booth-clibborn-editions.co.uk

All rights reserved. No part of this book may be reproduced or transmitted in any form or by any means, or stored in any retrieval system of any nature without prior written permission of the copyright holder, except for permitted fair dealing under the Copyright Designs and Patents Act 1988 or in accordance with the terms of a license issued by the Copyright Licensing Agency in respect of photocopying and/or reprographic reproduction.

CONTENTS

D —— Design proposals which contributed to the chosen design.

B —— The design before alterations made by Minale Tattersfield.

Introduction

What is the reason for the title, "All Together Now"? It was decided that this book should fulfil two functions. Firstly, we wanted to produce a book covering a large variety of seemingly unrelated projects. Projects cover all disciplines and the solutions are as diverse as the projects themselves. Our second purpose was to illustrate that there exists a common link between every project in an apparently random selection. That link is that true Minale Tattersfield style. Though the solutions may be different, the means of arriving at the solution has always been the same - a combination of both intellectual and creative input. Only together can a successful and functional design be achieved. For fast moving consumer goods the aim is to increase sales; for a fashion house it is to design above fashion; a petrol station aims to increase its visual awareness and an interactive site is designed to stimulate and inform the user.

The title, "All Together Now" also reflects that we are working together as a team towards the common goal of excellence in design. Our work is a collaboration using the skills of a large variety of designers working under one roof. But not only under one roof, we now have the input from our various offices around the world.

We are proud that after more than five generations of designers, our team today is one of the youngest yet, with an average age of 25. Though this youthful eye is essential to help understand current trends which enables our designs to continue to be fresh, our philosophy has remained constant since it was first developed in the sixties. That is, to first understand the problem, allowing the solution to develop to a point where it surprises the designer and client alike.

Finally, this would not be a true Minale Tattersfield book unless we mention and thank all the designers who have made this, and the previous book possible. What is more, your contribution has made us what we are: Alex Maranzano, Ian Grindle, Dimitri Karavias, Ian Delaney, Georgina Phillips, Marian Molloy, Marcello Mario Minale, Simon Simpson, Philippe Rasquinet, Jim Waters, Michael Bryce, Jack Bryce, Jean Marc Piaton, Stephen Aldridge, Paul Astbury, Nils Beaven, Hayley Brooksbank, Peter Brown, Paul & Caroline Browton, Ian Butcher, Sarah Cadman, Mike Callan, Pat Canning, Marcella Caricasole, Pete & Liz Carrow, Phil Carter, Connie Chan, Robin Chapman, Anond Charutrakulchai, Brian Delaney, Martin Devlin, Steve Dowson, Bruce Duckworth, Andrea Fenwick-Smith, Steve Gibbons, Ian Glazer, Lynda Grantham, Ray Gregory, Sam Hampton, Marcus Hartland, Isabe Desbarat, Evelyn Hegi, Gillian Hodgson, Liza Honey,

OSTENDE BEACH

I took this photograph a few years ago in Ostende. The purpose of this boat, perched on a pole above the water, is to act as a meeting point for children on the beach who have lost their parents. I have always wanted to publish it but until now have never had the opportunity. For me, this photograph is indicative of the pleasures and problems of communication. Depending on your perspective, the boat appears to be either floating in the sky or on the sea. A truly successful design is one that communicates with a complete spectrum of people made up of individuals, all with their own perspectives and perceptions.

Ho fatto questa foto qualche anno fa a Ostenda. La funzione della barca ormeggiata a un palo che emerge dall'acqua, è quella di essere un punto di incontro per i bambini in spiaggia che non trovano più i genitori. Ho sempre desiderato pubblicarla, ma fino a oggi non ne ho mai avuto l'occasione. Per me questa foto è sintomatica delle gioie e dei dolori della comunicazione. A seconda della prospettiva, la barca sembra galleggiare nel cielo o sull'acqua. Un design davvero buono è quello che riesce a comunicare a ogni tipo di persone, ai singoli individui, ognuno con un suo punto di vista e un suo modo di percepire i messaggi.

J'ai pris cette photo il y a quelques années à Ostende. Le bateau, amarré à un poteau émergeant à la surface de l'eau, constitue un point de rencontre pour les enfants de la plage qui ne trouvent plus leurs parents. J'ai toujours désiré publier cette photo mais je n'en avais encore jamais eu l'occasion. Pour moi cette photo est symptomatique des plaisirs et des problèmes de la communication. Suivant l'angle sous lequel vous le regardez, le bateau peut flotter dans le ciel ou sur l'eau. Un design performant est un design qui réussit à communiquer avec toutes les categories de personnes, chacune d'elles avec son propre point de vue et sa façon de sentir les choses.

Lucy Hughes, Pam Jenkins (Broome), Diane Jones, Keith Jones, Quentin Kelsey, Lucy Key, Sally Killick, Liz Knight, Georgina Lee, Helena Lekka, David Liu, John Loader, Francis Low, Nigel Mac-Fall, Frances Magee, Susan Marshall, Susan McCooke, Su McGrady, Rose McMullan, Toti Melzi D'Eril, Ida Morazzoni, Sara Morazzoni, Lee Newham, Maurice Nugent, Nobuoki Ohtani, Hiroshi Onishi, Simon Pemberton, Paola Porta, Sarah Prail, Graham Purnell, Davide Rossetti, Grant Russell, Graham Simpson, Rupert Singleton, Jane Stothert, Akemi Takagi, Sarah Thomlinson, David Turner, John Unwin, Lucy Walker, Anthony Wilks, Julia Williams, Jeff Willis, Gus Wilson.

Thank you to everyone, and in particular to you, the reader, who has remained faithful to our way of doing things for more than 30 years.

Marcello Minale

Qual è la ragione di questo titolo: All Together Now? Si è deciso che
questo libro dovesse svolgere due funzioni. Prima di tutto, volevamo
realizzare un volume che toccasse un'ampia gamma di progetti in
apparenza senza nessun rapporto tra loro. Progetti che riguardano tutte
le discipline e che trovano tante diverse soluzioni quanto diversi sono
essi stessi. Il nostro secondo intento era di far vedere come, pur
attraverso una selezione apparentemente casuale, esistesse un filo che
legava tra loro tutti i progetti. Ognuno di quelli inseriti è stato gestito in
autentico stile Minale Tattersfield. Le soluzioni possono essere diverse,
ma i mezzi per arrivarci sono sempre stati gli stessi: una somma di
apporti intellettuali e creativi. Solo insieme è possibile ottenere un
design di successo e funzionale. Per gli articoli che si consumano in
fretta quello che si vuole avere è un aumento delle vendite; per una casa
di moda è un design che sia al di sopra delle tendenze del momento; un
distributore di benzina ha bisogno di accrescere la propria visibilità e un
sito interattivo deve stimolare e informare chi lo visita.

Il titolo All Together Now, poi, riflette il fatto che noi operiamo come un
team, col comune obiettivo di raggiungere l'eccellenza nel design. Il
nostro è un lavoro d'équipe, che utilizza che capacità di un gran numero
di designer che lavorano sotto lo stesso tetto. Ma sotto questo tetto ci
arrivano i contributi delle nostre varie sedi sparse per il mondo.

Ci rende orgogliosi il fatto che dopo più di cinque generazioni di
designer, il nostro team oggi è ancora fra i più giovani, con un'età media
di 25 anni. Uno sguardo giovanile è indispensabile per cogliere e
comprendere le tendenze del momento e per fare sì che nostri designer
conservino la freschezza dell'ideazione, ma ciò nondimeno la nostra
filosofia è rimasta quella che era fin dagli esordi negli anni Sessanta. Ed
essa dice: prima capire il problema in modo da sviluppare la soluzione
fino al punto da sorprendere tanto il designer quanto il cliente.

Concludendo, questo non sarebbe un vero libro Minale Tattersfield se
non ricordassimo e non ringraziassimo tutti i designer che hanno
contribuito a realizzare questo come i precedenti. Per giunta, è il vostro
contributo che ci ha fatto quelli che siamo:

Alex Maranzano, Ian Grindle, Dimitri Karavias, Ian Delaney, Georgina
Phillips, Marian Molloy, Marcello Mario Minale, Simon Simpson,
Philippe Rasquinet, Jim Waters, Michael Bryce, Jack Bryce, Jean Marc
Piaton, Stephen Aldridge, Paul Astbury, Nils Beaven, Hayley
Brooksbank, Peter Brown, Paul & Caroline Browton, Ian Butcher, Sarah
Cadman, Mike Callan, Pat Canning, Marcella Caricasole, Pete & Liz
Carrow, Phil Carter, Connie Chan, Robin Chapman, Anond
Charutrakulchai, Brian Delaney, Martin Devlin, Steve Dowson, Bruce
Duckworth, Andrea Fenwick-Smith, Steve Gibbons, Ian Glazer, Lynda
Grantham, Ray Gregory, Sam Hampton, Marcus Hartland, Isabel
Desbarat, Evelyn Hegi, Gillian Hodgson, Liza Honey, Lucy Hughes, Pam
Jenkins (Broome), Diane Jones, Keith Jones, Quentin Kelsey, Lucy Key,
Sally Killick, Liz Knight, Georgina Lee, Helena Lekka,

PHOTO BY GAVIN

ARRY

David Liu, John Loader, Francis Low, Nigel Mac-Fall, Frances Magee, Susan Marshall, Susan McCooke, Su McGrady, Rose McMullan, Toti Melzi D'Eril, Ida Morazzoni, Sara Morazzoni, Lee Newham, Maurice Nugent, Nobuoki Ohtani, Hiroshi Onishi, Simon Pemberton, Paola Porta, Sarah Prail, Graham Purnell, Davide Rossetti, Grant Russell, Graham Simpson, Rupert Singleton, Jane Stothert, Akemi Takagi, Sarah Thomlinson, David Turner, John Unwin, Lucy Walker, Anthony Wilks, Julia Williams, Jeff Willis, Gus Wilson.

Grazie a tutti, e soprattutto al lettore che è rimasto fedele al nostro modo di fare le cose da più di trent'anni.

Marcello Minale

Thank you to Gavin Parry for allowing us to use this beautiful photograph that for me encapsulates the essence of our work. At a glance one might pass over it, thinking it unimpressive. Do this, however, and you miss a cleverly thought out photograph, invested with wit and intelligence which gives it enduring appeal.

Un grazie a Gavin Parry per averci consentito di utilizzare questa bellissima fotografia che secondo me condensa tutta l'essenza stessa del nostro lavoro. A una prima occhiata si potrebbe non notarla, pensando che non abbia niente di straordinario. Ma in questo caso può sfuggire un pensiero intelligente che il fotografo ha saputo integrare con spirito e acume e che dà alla sua opera un fascino non effimero.

Nous remercions aussi Gavin Parry qui nous a permis d'utiliser cette magnifique photo qui condense à mon avis toute l'essence de notre travail. Au premier coup d'oeil, elle pourrait passer inaperçue car on n'y trouve rien de spécial. Et pourtant il serait dommage de se laisser échapper une pensée intelligente que le photographe a su intégrer avec esprit et acuité et qui donne à son oeuvre un charme éternel.

Pourquoi ce titre "All Together Now"? On avait décidé que cet ouvrage devait avoir deux fonctions. Tout d'abord, nous voulions faire un livre englobant une vaste gamme de projets n'ayant apparemment aucun lien entre eux. Dans la mesure où ils abordaient toutes les disciplines, les solutions offertes étaient aussi variées que les projets eux-mêmes. Ensuite, nous voulions montrer comment ces projets, sélectionnés visiblement au hasard, étaient en fait tous liés les uns aux autres par le fait d'avoir a été traités, chacun leur tour, dans un pure et même style Minale Tattersfield. Si différentes soient-elles, les solutions ont toujours été développées de la même manière: à travers la combinaison d'une participation à la fois intellectuelle et créative. Seule l'union de ces deux composantes permet d'obtenir un design à succès et fonctionnel. Pour les articles à consommation rapide, il s'agit d'augmenter les ventes; pour une maison de couture, de créer un dessin qui va au-delà des tendances du moment; pour une station essence, d'augmenter sa visibilité, et pour un site interactif, de performer sa capacité de stimuler et d'informer l'utilisateur.

Le titre "All Together Now" transmet aussi l'idée que nous travaillons ensemble, en équipe, pour atteindre un seul et même objectif: l'excellence dans le design. Ce travail de collaboration exploite les capacités de nombreux designers opérant sous le même toit, mais pas uniquement car nous recevons à présent la contribution de nos différents bureaux implantés dans le monde entier.

Nous sommes fiers, qu'après plus de cinq générations de designers, notre équipe soit encore aujourd'hui l'une des plus jeunes, avec une moyenne d'âge de 25 ans. Le regard d'une équipe jeune est indispensable pour saisir et comprendre les tendances actuelles et conserver la fraîcheur du design, mais cela n'a pas altéré notre philosophie. Comme pendant les années 60, notre approche passe toujours par la compréhension du problème en vue de développer une solution performante qui surprendra aussi bien le designer que le client.

Pour conclure, ce nouvel ouvrage ne pourrait être considéré comme un véritable Minale Tattersfield s'il ne mentionnait et ne remerciait tous les designers qui, comme pour les précédents, ont contribué à le réaliser. D'autant plus que c'est à vous que l'on doit ce que nous sommes aujourd'hui:

Alex Maranzano, Ian Grindle, Dimitri Karavias, Ian Delaney, Georgina Phillips, Marian Molloy, Marcello Mario Minale Simon Simpson, Philippe Rasquinet, Jim Waters, Michael Bryce, Jack Bryce, Jean Marc Piaton, Stephen Aldridge, Paul Astbury, Nils Beaven, Hayley Brooksbank, Peter Brown, Paul & Caroline Browton, Ian Butcher, Sarah Cadman, Mike Callan, Pat Canning, Marcella Caricasole, Pete & Liz Carrow, Phil Carter, Connie Chan, Robin Chapman, Anond Charutrakulchai, Brian Delaney, Martin Devlin, Steve Dowson, Bruce Duckworth, Andrea Fenwick-Smith, Steve Gibbons, Ian Glazer, Lynda Grantham, Ray Gregory, Sam Hampton, Marcus Hartland, Isabel Desbarat, Evelyn Hegi, Gillian Hodgson, Liza Honey, Lucy Hughes, Pam Jenkins (Broome), Diane Jones, Keith Jones, Quentin Kelsey, Lucy Key, Sally Killick, Liz Knight, Georgina Lee, Helena Lekka, David Liu, John Loader, Francis Low, Nigel Mac-Fall, Frances Magee, Susan Marshall, Susan McCooke, Su McGrady, Rose McMullan, Toti Melzi D'Eril, Ida Morazzoni, Sara Morazzoni, Lee Newham, Maurice Nugent, Nobuoki Ohtani, Hiroshi Onishi, Simon Pemberton, Paola Porta, Sarah Prail, Graham Purnell, Davide Rossetti, Grant Russell, Graham Simpson, Rupert Singleton, Jane Stothert, Akemi Takagi, Sarah Thomlinson, David

RANGERS LADIE

Turner, John Unwin, Lucy Walker, Anthony Wilks, Julia Williams, Jeff Willis, Gus Wilson.

Merci à tous, et en particulier à vous, chers lecteurs et lectrices, pour votre fidèlité à notre manière de faire les choses depuis plus de trente ans.

Marcello Minale

RANGERS LADIES F.C.

FOOTBALL CLUB... LOOK AT THE CURTAINS!!

Molti, moltissimi anni fa, quando ero studente di graphic design al Royal College of Art di Londra, come tutti i miei compagni di corso rimasi immediatamente affascinato alla presentazione del marchio più originale per quei tempi: lo scribble Minale Tattersfield.

L'agenzia Minale Tattersfield, grazie al contributo dei suoi soci e in particolare di Brian Tattersfield e Marcello Minale, da allora è sempre riuscita a restare sulla cresta dell'onda del successo del British design (l'anno prossimo compirà 35 anni!) e sono sicuro che continuerà così per i prossimi decenni.

Ai miei occhi Minale Tattersfield rappresenta una delle principali istituzioni del British Design. Il suo scribble è senza dubbio un'immagine iconica nel patrimonio comune del graphic design. Che onore per me collaborare a questo, che è l'ottavo libro dell'agenzia! Auguro a tutti loro un pari successo per il futuro.

Il y a longtemps, très longtemps déjà, quand j'étudiais le dessin graphique au Royal College of Art de Londres, comme tous les autres étudiants je fus immédiatement séduit par la présentation du logotype le plus original de l'époque: le scribble Minale Tattersfield.

Grâce à la contribution de ses partenaires, et notamment de Brian Tattersfield et Marcello Minale , l'agence Minale Tattersfield n'a cessé depuis lors de tenir la vedette du British Design (elle fêtera ses 35 ans l'année prochaine!) et je suis certain qu'il en sera encore ainsi pendant des dizaines d'années.

Minale Tattersfield est à mes yeux une des principales institutions du British Design. Son scribble est sans doute un symbole dans le domaine public du dessin graphique. Quelle honneur pour moi de participer à la publication de ce huitième ouvrage! Je leur souhaite toujours le même succès pour l'avenir.

Many, many, many years ago, whilst studying graphic design at the Royal College of Art in London, my fellow students and I were instantly fascinated when the most unusual logo for those days, 'the Minale Tattersfield scribble', was launched.

Minale Tattersfield, with the help of their partners and in particular Brian Tattersfield and Marcello Minale, has since succeeded in continuously riding high on the waves of success in British Design (35 next year!) I am sure they will continue for decades to come.

To me, Minale Tattersfield represents one of the most important institutions of British Design. The Minale Tattersfield scribble most certainly is an icon in the public domain of graphic design. What an honour to contribute to this, their eighth book! I wish them equal success for the future.

Gert Dumbar

THE AGE OF THE COMPUTER | a sense of belonging in a technological age

ORDER OR DISORDER?
by Marcello Minale
at the International Interior Architects Congress, Kerry, Ireland, 1997

If we look back at the history of design over the past 100 years, the Modernist Movement can be loosely divided into a number of periods and movements, including Art Nouveau, Futurism, Bauhaus, De Stijl and Constructivism, dating from the 1880s to the 1930s. That era is often described as the Machine Age because of the inspiration modernist designers took from technology and machines, although much of the work in graphic design and the visual arts was done by hand.

The period in which we are living today could, however, be described as the Computer Style: 1980-2010. We design on screen, using new digital tools.

Before the Computer Age, the visual arts were generally expressed in simple, easily comprehensible images within a modern Machine Age design idiom. A good example of this is Abram Games' poster advertising airmail *(slide 4)*.

But the arrival of the computer in graphic/visual arts brought with it a confusion and a profusion of images and very little substance *(slides 8-13)*. Such confused and disjointed images could not have been created by the human mind alone. It took the computer.

If we look at modern architecture, Jacques Andie in 1936, Walter Gropius in 1928, Gerrit Rietveld in 1924 and Generic Interiors in 1970, all created buildings which would still be classed as modern today *(slides 14-19)*. In 1931 Le Corbusier used a combination of various geometrical shapes in his structures - straight lines with windows as circles, squares and rectangles *(slide 20)*. Such buildings are all examples of minimalist tendencies still in vogue today. The same clearly defined lines and use of symmetry can be seen in the gridlike building of Aldo Rossi and the work of Frank Lloyd Wright *(slides 21-22)*.

But if we look at modern architecture after the widespread introduction of computers, we see that despite the use of contemporary materials and lighting, many interiors are not as modern as first appear. Modernism implies clarity and simplicity, but Toni Cordero in 1990 created asymmetrical, chaotic interiors (slide 30) and interiors by Tresoldi in 1996 *(slide 31)* introduce an element of confusion with the introduction of criss cross wires, although they appear on the surface simplistic.

In the 1980s computers began to become a part of every designer's professional life. Designers appeared to react to this intrusion by moving away from the ordered symmetry of the modernism towards a more chaotic type of design. As the computer era seems continually to be moving forward with huge technological advances, at the same time the visual arts seem to be regressing.

Take, for example, the architecture of Le Corbusier designing in the 1930s with its defined lines and symmetry, or the perfect grid of Aldo Rossi designing in the 1970s, and compare them with the work of Gunther Domenig and Frank Gehry in the 1980s and 90s *(slide 24-29)*. The reaction to the arrival of the computer in the designer's life in 1981 can be seen in the work of the Memphis group in Milan - defined lines and symmetry in keeping with modernism, but overall a chaotic composition *(slide 33)*.

As we progress further and further into the computer age, it is possible to detect a distinct trend - a return to the more decorative visual treatment of design. This can be seen in furniture design. From the simple, clean lines of a Terragni chair, we appear to be gradually returning to a softer, more comfortable form *(slides 36-37)*. I believe that by the year 2020 we will have returned to the Chippendale style.

3

4

5

6

7

10

11

12

13

What has produced this confusion? It is because human nature cannot be reconciled with two movements in the same direction, creating an excess. Human nature rejects excess of any kind. Whilst the majority of the population was still riding horses, Le Corbusier was coming up with highly Avant Garde ideas based on pushing the boundaries of modern design - as a reaction to the fact that technology was not progressing.

But has the computer confused our roles as designers? I believe the computer has destroyed our perspective and has confused us to such an extent that it has made us... "an internet guru... a prince... a retailer... a wholesaler... an editor... a sensor... honest... creative... professional... lubricating oil... a catalytic converter... a teapot..." *(slide 39).*

So confused we don't know what or who we are.

A computer is by definition an instrument with which to impose order. But in a modernist environment of precision and premeditation, the computer creates confusion. Too much order cannot coexist. To counteract an excess of order, the computer creates chaos.

Likewise, where as my office in the 1970s - pre computer - was a reflection of the modernist ideals of the time with clean lines and ordered, now on my computer stands a cuckoo clock. This is the introduction of the absurd, an element of chaos into an otherwise over-ordered environment.

When the computer was introduced into the sphere of graphic art, it was able to resolve the uneasy coexistence of excessive order inherent in modernism with human life. The computer was able to create a profusion of disjointed images, too chaotic for human thought to have created, and thus counter-balance the anxiety and tension created by excessive order.

14

15
Jacques-André 1936

16
Gropius 1928 (Bauhaus)

17
Interior 1970

20
e Corbusier 1931

21

22
Aldo Rossi 1971

23
Let's see the life of our modernistic architecture after the computer

The computer thrives in a disordered environment:

COMPUTER + DISORDER = ORDER.

But:

COMPUTER + ORDER = DISORDER

It would appear, then, that the modernist environment is not compatible with human life. To solve this incompatibility computers will look to our past for the answers, as a Bishop looks to the Bible *(slide 47)*.

If I were to design the new headquarters for Apple Macintosh computers, for example I would counterbalance the order inherent in the job of designing computers by drawing my inspiration from the past. I would choose a chaotic mix of candelabra and long, flowing curtains to create a harmonious environment where both computer designers and clients can thrive.

Proof (or perhaps not) that Computer + Disorder = Order.

UN SENSO DI APPARTENENZA NELL'ERA TECNOLOGICA

Ordine o disordine ?

Se ripensiamo alla storia del design dell'ultimo secolo, possiamo suddividere il Movimento Moderno in una serie di periodi e di tendenze: Art Nouveau, Futurismo, Bauhaus, De Stijl e Costruttivismo, solo risalendo dal 1880 fino agli anni trenta del nostro secolo. Questa è un'epoca che è stata spesso definita «Età delle macchine», in quanto i designer hanno preso ispirazione dalla tecnologia e dalle macchine, anche se gran parte del lavoro nel campo della grafica e delle arti visive era svolto ancora manualmente.

Potremmo invece battezzare il periodo in cui viviamo oggi, tra il 1980 e il 2010, epoca del «Computer Style». Il design è realizzato sullo schermo, utilizzando i nuovi strumenti digitali.

Prima dell'avvento dell'età del computer, le arti visive trovavano espressione nelle immagini semplici, facilmente comprensibili perché inscritte all'interno di un linguaggio progettuale specifico della moderna «Età delle macchine». Un buon esempio del genere è il manifesto di Abram Games che pubblicizza la posta

Gerrit Rietveld 1924 Gropius 1926

Gunther Domenig 1982 Frank Ghery 1993

aerea (4). L'avvento del computer nel campo della grafica e delle arti visive ha portato con sé una confusione e una profusione di immagini, ma pochissima sostanza (8-13). Queste immagini confuse e sconnesse non avrebbero mai potuto essere prodotte dalla mente umana da sola. Ci voleva il computer.

Prendiamo l'architettura moderna: Jacques Andie nel 1936, Walter Gropius nel 1928, Gerrit Rietveld nel 1924, come Generic Interiors nel 1970. Hanno tutti realizzato edifici che ancora oggi sono considerati moderni (14-19). Nel 1931 Le Corbusier ha sfruttato una combinazione di varie forme geometriche nelle sue costruzioni: linee rette con i cerchi, i quadrati e i rettangoli delle finestre (20). Edifici che sono tutti di esempio per le tendenze minimaliste ancor oggi in voga. Le stesse linee chiaramente definite, lo stesso uso della simmetria si ritrovano nell'edificio a griglia di Aldo Rossi e nell'opera di Frank Lloyd Wright (21 e 22).

Se osserviamo invece l'architettura successiva alla diffusione del computer, vediamo che, nonostante l'impiego di materiali e di sistemi di illuminazione contemporanei, molti interni non sono poi così moderni come appaiono a prima vista. Il modernismo implica chiarezza e semplicità, mentre Toni Cordero nel 1990 ha realizzato interni asimmetrici, caotici (30); quelli di Tresoldi, del 1996 (31), introducono un elemento di confusione con la presenza di fili intersecati, anche se in superficie appaiono semplici. Negli anni ottanta i computer sono entrati a far parte dell'esistenza professionale di ogni designer. E i designer, a quanto pare, hanno reagito a questa intrusione allontanandosi dall'ordine e delle simmetrie del modernismo, verso un tipo di design più caotico. Mentre l'era del computer procede senza sosta tra enormi progressi tecnologici, le arti visive sembrano in una fase regressiva.

Prendiamo, per esempio, la progettazione architettonica di Le Corbusier degli anni trenta, con le sue linee definite e le sue simmetrie, o, negli anni settanta, la perfetta griglia dei progetti di Aldo Rossi e confrontiamole con l'opera di un Gunther Domenig o di un Frank Gehry, tipiche degli anni ottanta e novanta (24-29). L'incidenza dell'avvento del computer sulla vita del designer si ritrova nel 1981 nel lavoro del gruppo Memphis di Milano: linee definite e simmetrie, in sintonia con il modernismo, ma, nell'insieme, una composizione caotica (33).

Più avanza l'era del computer, più è possibile individuare una tendenza distinta: un ritorno al decorativo nel trattamento visivo del design. Lo si vede bene nel design per l'arredamento. Dalle linee sempici e nitide di una sedia di Terragni, torniamo, parrebbe, a una forma più morbida e comoda (36-37). Credo che entro il 2020 saremo regrediti a uno stile Chippendale.

A che cosa è dovuta questa confusione? Al fatto che la natura umana non è in grado di riconciliare due movimenti che vanno nello stesso senso e che provocano così un eccesso. La natura umana è ostile a qualunque tipo di eccesso. Quando ancora la maggior parte della gente viaggiava trainata dai cavalli, arrivava un Le Corbusier con le sue idee di avanguardia, tese ad allargare i confini del design moderno, in reazione al fatto che la tecnologia progrediva troppo lentamente.

Il computer ha confuso il nostro ruolo di designer? Io credo che abbia cancellato la nostra prospettiva e ci abbia disorientato al punto da trasformarci in «santoni di Internet... principi... bottegai... redattori... sensori... onesti... creativi.. professionisti.. lubrificanti... catalizzatori... teiere... » (38). Sconcertati al punto da non sapere più che cosa o chi siamo.

Il computer è, per definizione, uno strumento col quale stabiliamo un ordine. Ma in un ambiente modernista, fatto di esattezza e di programmi precisi, il computer è fonte di confusione. L'ordine non può coèsistere all'ordine. Per controbilanciare un eccesso di ordine, il computer genera il caos.

Allo stesso modo, mentre il mio ufficio negli anni settanta (prima dell'arrivo del computer) rispecchiava gli ideali modernisti dell'epoca, con linee nitide e ordinate, oggi sul mio computer c'è un orologio a cucù. El'introduzione dell'assurdo, di un elemento di confusione in uno spazio altrimenti troppo asettico.

Quando nella sfera delle arti grafiche si è insinuato il computer, esso poteva risolvere la scomoda coesistenza tra un eccesso d'ordine tipico della modernità e la vita umana. Il computer è riuscito a produrre una profluvio di immagini slegate tra loro, troppo caotiche per essere concepite dalla mente umana, e a controbilanciare in tal modo l' angoscia e la tensione generate da un ordine eccessivo.

Il computer prospera in un ambiente disordinato.

COMPUTER + DISORDINE = ORDINE

Ma

COMPUTER + ORDINE = DISORDINE

Parrebbe allora che l'ambiente della modernità non sia compatibile con la vita umana. Se vogliono superare questa incompatibilità i computer guarderanno al passato per trovare le risposte, così come i vescovi guardano alla Bibbia.

Se mi commissionassero di progettare la nuova sede della Apple Macintosh, per esempio, cercherei di controbilanciare l'ordine insito nel lavoro di un progettista di computer, prendendo ispirazione dal passato, con una congerie caotica di candelabri e di lunghi tendaggi fluenti, che realizzino uno spazio armonioso in cui gli operatori e i clienti possano trovarsi a proprio agio.

A dimostrazione (forse che sì, forse che no) del fatto che:
Computer + Disordine = Ordine

Mendini 1993

Gunther Domenig 1996

The computer enters the professional designers life in 1980

How did the professional designers react to this intrusion?

UN SENTIMENT D'APPARTENANCE DANS L'ERE TECHNOLOGIQUE

Ordre ou désordre?

Si nous regardons l'histoire du design de ces 100 dernières années, le Mouvement Moderne nous apparait divisé grosso modo en une suite de périodes et de tendances: Art Nouveau, Futurisme, Bauhaus, De Stijl et Constructivisme, de 1880 à 1930. Cette période a souvent été définie comme l'Âge de la Machine car les designers s'inspiraient alors de la technologie et des machines, même si une grande partie du travail dans le secteur des arts graphiques et visuels se faisait encore à la main.

Nous pourrions, en revanche, baptiser la période dans laquelle nous vivons aujourd'hui, qui s'étale de 1980 à 2010, comme celle du "Computer Style". Le design se fait à l'écran, à l'aide de nouveaux systèmes numériques.

Avant l'ère de l'ordinateur, les arts visuels se manifestaient à travers des images simples, faciles à comprendre, au sein d'un

28

Piet Blom 1978

29

Kisho Kurokawa 1970

30

Toni Cordero 1990

31

Salvati Tresoldi 1996

34

The full modernistic movement has developed since the introduction of the Computer in a diametrical opposite direction

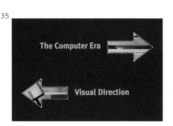

35

The Computer Era

Visual Direction

36

1980 ⇨ 1985 ⇨ 1990 ⇨ 2020?

37

1920 ⇦ 1950 ⇦ 1960 ⇦ 1980

langage visuel spécifique à ces temps modernes de l'Âge de la machine. Un exemple significatif est l'affiche publicitaire d'Abram Games pour la poste aérienne(4).

Mais l'entrée de l'ordinateur dans les arts graphiques/visuels a apporté une grande confusion et profusion d'images et bien peu de substance (8-13). Ces images confuses et n'ayant aucun rapport entre elles n'auraient jamais pu être créées par l'esprit humain tout seul. Il fallait l'ordinateur.

Prenons l'architecture moderne: Jacques Andie en 1936, Walter Gropius en 1928, Gerrit Rietveld en 1924, et Generic Interiors en 1970. Ils ont tous réalisé des bâtiments qui, construits aujourd'hui, seraient encore considérés comme modernes (14-19). En 1931, Le Corbusier a appliqué à ses structures des combinaisons de différentes formes géométriques:

des lignes droites avec les cercles, les carrés et les rectangles des fenêtres (20). Des immeubles qui sont tous des exemples pour les tendances minimalistes encore en vogue aujourd'hui. Les mêmes lignes clairement définies, le même usage de la symétrie se retrouvent dans l'immeuble d'Aldo Rossi et dans l'oeuvre de Frank Lloyd Wright (21 et 22).

Si nous regardons en revanche l'architecture qui a suivi la diffusion de l'ordinateur, nous constatons qu'en dépit de l'application de matériaux et de systèmes d'éclairage contemporains, de nombreux intérieurs ne sont pas aussi modernes qu'ils en ont l'air. Le modernisme implique clarté et simplicité et pourtant, en 1990, Toni Cordero a réalisé des intérieurs asymétriques, chaotiques (30) et, en 1996, ceux de Tresoldi (31), apparemment si simples, introduisent un élément de confusion avec la présence de fils croisés.

38

39

40

41
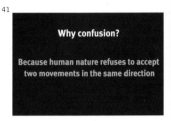

44

45

46

47

Dans les années 80, l'ordinateur est entré dans la vie professionnelle de tous les designers. Et ceux-ci semblent réagir à cette intrusion en s'éloignant de l'ordre et des symétries du modernisme pour s'approcher d'un design plus chaotique. Si d'un côté l'ère de l'ordinateur semble évoluer sans répis à travers d'immenses progrès technologiques, de l'autre, les arts visuels, eux, donnent l'impression de régresser.

Prenons, par exemple, l'architecture de Le Corbusier dessinée pendant les années trente, avec ses lignes définies et ses symétries, ou la grille parfaite du design d'Aldo Rossi, des années soixante-dix, et confrontons-les avec l'oeuvre de Gunther Domenig ou de Frank Gehry des années 80 et 90 (24-29). L'incidence de l'ordinateur sur la vie du designer, en 1981, peut se voir dans le travail du Groupe Memphis de Milan: des lignes définies et symétriques, en accord avec le modernisme, mais dans l'ensemble une composition chaotique (33). Au fur et à mesure que nous avançons dans l'ère de l'ordinateur, une tendance claire se précise: un retour au décoratif dans le traitement visuel du design. Ceci se voit dans le design de mobilier. Après les lignes simples et nettes des chaises de Terragni, nous avons l'impression de revenir à une forme plus souple et pratique (36-37).

Je pense que d'ici l'an 2020, nous serons revenus à un style Chipppendale.

A quoi cette confusion est-elle due? Au fait que la nature humaine n'est pas capable de concilier deux mouvements qui suivent la même direction et génèrent donc un excès. La nature humaine rejette toute forme d'excès. A une époque où la plupart des gens voyageaient encore sur des voitures tractées par des chevaux, Le Corbusier se présentait déjà avec ses idées d'avant-garde repoussant les limites du design moderne, en réaction contre le manque de progrès technologique.

L'ordinateur aurait-il confondu notre rôle de designer? Je pense qu'il a détruit notre perspective et qu'il nous a désorientés au point de nous transformer en "gourous d'Internet... princes... commerçants... éditeurs... senseurs... honnêtes... créateurs... professionnels... huile de graissage... catalysateurs... théières..." (38). Déconcertés au point de ne plus savoir ce que nous sommes ou qui nous sommes.

L'ordinateur est, par définition, un outil nous servant à mettre de l'ordre. Mais dans un environnement moderniste de précision et de préméditation, l'ordinateur est une source de confusion. Trop d'ordre ne peut pas coexister.

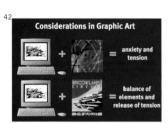
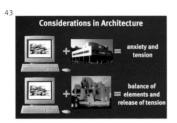

Pour compenser un excès d'ordre, l'ordinateur génère le chaos.

De même, si mon bureau des années soixante-dix (avant l'introduction de l'ordinateur), reflétait les idéaux modernistes de l'époque, avec ses lignes nettes et bien ordonnées, aujourd'hui, sur mon ordinateur, il y a une pendule à coucou. C'est l'introduction de l'absurde, d'un élément de chaos dans un environnement qui autrement serait trop austére.

Quand l'ordinateur s'est introduit dans le secteur des arts graphiques, il pouvait résoudre l'embarrassante coexistence de l'excès d'ordre inhérent à la modernité, avec la vie humaine. L'ordinateur pouvait créer une profusion d'images n'ayant aucun rapport entre elles, trop chaotiques pour être conçues par l'esprit humain, et compenser de cette manière l'angoisse et la tension générées par un excès d'ordre.

L'ordinateur prospère dans un environnement désordonné.

ORDINATEUR + DESORDRE = ORDRE

Mais

ORDINATEUR + ORDRE = DESORDRE

Il semblerait donc que l'environnement moderniste ne soit pas compatible avec la vie humaine. Les ordinateurs cherchent la réponse à ce problème d'incompatibilité en regardant notre passé, comme les évêques regardent la Bible.

Si j'étais chargé de dessiner le nouveau centre directionnel d'Apple Macintosh, par exemple, j'essairais de compenser l'ordre inhérent au travail des dessinateurs d'ordinateurs en m'inspirant du passé, avec un fatras chaotique de chandeliers et de longs rideaux flottants, de sorte à créer un environnement harmonieux dans lequel aussi bien les designers que les clients peuvent se sentir à l'aise.

La preuve (ou peut-être pas) qu'Ordinateur + Désordre = Ordre.

CAN WE TEACH THE COMPUTER TO THINK ?

by Marcello Minale
at the International Design Fair, Singapore, 1997

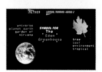

It is my belief that the computer can be taught to think. For any one problem there is often more than one solution and certainly a number of ways of arriving at that solution. Every person or institution finds and uses his own method of problem solving. After more than 30 years of experience in the design business, Minale, Tattersfield and Partners has settled on a method which time and again enables us to come up with original solutions.

Design strategy à la Minale Tattersfield involves taking a problem and analysing it in all its diverse elements and by combining these various elements, gradually arriving at one solution. Depending on the requirements of the client, this strategy can be applied in varying degrees of complexity.

The direct approach comes up with an obvious answer. If a more unusual solution to the problem is required, lateral thinking is put into action and the path can be as convoluted as the degree of abstraction required *(slides 2-5)*.

Once a clear strategy has been devised, this information, when loaded onto the computer, can be applied to any problem as required. Let us take, for example, the Italian Knitwear Exhibition.

Si può insegnare a pensare al computer?

Io sono convinto che sia possibile insegnare a pensare al computer. Spesso, per ogni singolo problema esiste più di un'unica soluzione e, senza dubbio, più di una strada per arrivarci. Ognuno di noi, come ogni organizzazione, trova e utilizza un metodo proprio per risolvere i problemi. Dopo oltre trent'anni di esperienza nel campo del design, l'agenzia Minale Tattersfield & Partners ha definito un metodo che ci consente di volta in volta di arrivare a trovare soluzioni originali.

La strategia progettuale nello stile Minale Tattersfield prevede che il problema sia affrontato smontandolo nei singoli elementi, che vengono poi rimessi insieme in modo graduale, fino ad arrivare alla soluzione. A seconda delle esigenze del cliente, questa strategia è applicabile a diversi livelli di complessità.

The two diverse elements of the problem are entered onto the computer... Italy and Knitwear. Quite an unusual and thought provoking response is required and so the 'Lateral Thinking Grade 2' method is chosen. The computer comes up with a number of qualities which can be applied to both of these entities and when two are chosen, the final solution is a woollen sock in the shape of Italy - an award winning design devised by a computer?! *(slides 6-8)*. When applied to the Eden Project, a millennium project to build the largest covered botanical garden in the world, the solution - a globe with landmass depicted by leaves *(slides 9-11)*.

If this is possible, what does the future hold? Does this mean that well recognised and established design consultancies, which have their design strategy and particular style in place, will be able to create computer programmes of their work? Will these be bought by other designers or companies enabling them to produce first class designs? Will this mean the end of designers and consultancies as we know them, and the creation of several think tanks selling their expertise? Does this mean that every man and his computer will, in the future, be able to be a world class designer?

Peut-on enseigner à penser à l'ordinateur?

Je suis convaincu qu'il est possible d'enseigner à penser à l'ordinateur. Chaque problème a souvent plus d'une solution et il y a certainement plus d'une façon d'y arriver. Chacun individu ou organisation trouve et utilise sa propre méthode pour résoudre ses problèmes. Après plus de trente ans d'expérience dans le domaine du design, l'agence Minale Tattersfield & Partners a mis au point une méthode permettant d'arriver chaque fois à des solutions originales.

La stratégie de création de Minale Tattersfield consiste à affronter le problème en analysant séparément chacun de ses éléments pour ensuite les recomposer et arriver progressivement à la solution. Selon les exigences du client, cette stratégie peut être appliquée à différents niveaux de complexité.

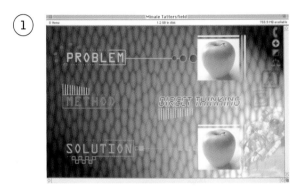

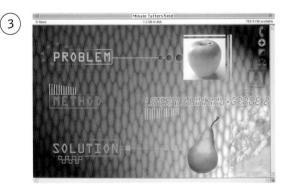

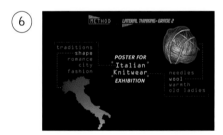

L'approccio diretto finisce col portare a una risposta ovvia, scontata. Se c'è bisogno di trovare una soluzione più originale, si deve mettere in moto quello che si chiama il pensiero laterale, e la strada da percorrere può essere tanto più complessa quanto maggiore è il livello di astrazione richiesto (2-5).

Una volta individuata una strategia chiara, le informazioni relative, inserite nel computer, sono applicabili a qualsiasi problema, a seconda delle esigenze. Prendiamo, per esempio, la Fiera italiana della maglieria. Nel computer si inseriscono i due diversi elementi del problema: l'Italia e la Maglieria. Quello che serve è una risposta che sia completamente fuori degli schemi e nel contempo provocatoria, per cui scegliamo il «Livello 2 del pensiero laterale». Il computer seleziona una serie di caratteristiche applicabili a entrambi i concetti e, quando alla fine se ne estrapolano due, il risultato è una calza di lana con la forma della penisola italiana: un design che ha ottenuto premi e riconoscimenti, ideato da un computer! (6-8). Proviamo ad applicare lo stesso metodo al Progetto Eden, un progetto di fine millennio per la realizzazione del più grande orto botanico del mondo: la soluzione è un mappamondo con le foglie che formano il disegno dei continenti (9-11).

Se è vera questa possibilità, che cosa ci riserva il futuro? Vuole forse dire che le più note e apprezzate agenzie di design, che dispongono di una propria strategia e di uno stile specifico, saranno in grado di realizzare programmi informatici capaci di seguire il loro metodo di lavoro? Programmi che altri designer e altri studi potranno acquistare e che permetteranno a chiunque di arrivare a risultati di eccellenza? Questo significherà la scomparsa dei professionisti e degli studi di design come li conosciamo oggi e la possibilità di realizzare moltissimi oggetti grazie alla vendita delle loro conoscenze professionali? Vorrà dire che chiunque, e qualunque computer, un domani potrà essere un designer di classe internazionale?

L'approche directe finit par conduire à une réponse évidente. Pour trouver une solution plus originale, il faut combiner analyse et intuition et le chemin à parcourir peut être d'autant plus court que le niveau d'abstraction demandé est grand (2-5).

Une fois la stratégie clairement identifiée , les informations relatives, introduites dans l'ordinateur, peuvent être appliquées à n'importe quel autre problème. Prenons par exemple la Foire italienne du Tricot et de la Maille. Deux différents éléments du problème sont introduits dans l'ordinateur: Italie et maille. Nous avons besoin d'une réponse à la fois insolite et provocatrice et nous choisissons donc la "combinaison analyse/intuition de 2ème niveau". L'ordinateur propose une série de caractéristiques applicables aux deux éléments du problème et, quand on en a sélectionné deux, la solution finale est une chaussette de laine ayant la forme de la péninsule italienne: un design récompensé, conçu par l'ordinateur ?!(6-8). Essayons à présent de l'appliquer au Projet Eden, un projet de cette fin de millénaire pour la réalisation du plus grand jardin botanique du monde: la solution est une mappemonde où les continents sont représentés par des feuilles (9-11).

Si tout ceci est possible, que nous réserve l'avenir? Cela signifie-t-il que les agences de design les plus célèbres et les plus estimées, disposant d'une propre stratégie et d'un style spécifique, seront en mesure de réaliser des logiciels qui permettront de suivre leur propre méthode de travail? Des logiciels que pourront acheter d'autres designers ou agences qui, de cette manière, seront à même de produire un design de très haut niveau? Cela conduira-t-il dire à la disparition des designers professionnels et des agences de design, tel que nous les connaissons aujourd'hui, et à la multiplication des objets réalisés grâce à la vente de leurs connaissance professionnelles? N'importe qui et n'importe quel ordinateur pourra-t-il, demain, être un designer de classe international?

CORPORATE IDENTITY

Corporate identity plays a fundamental part in establishing the market position of a new business or repositioning and consolidating an existing business.

L'immagine coordinata svolge una funzione fondamentale per stabile la posizione di mercato di una nuova azienda o per riposizionare e consolidare un'azienda gia'in attività.

Le SIV détermine de façon fondamentale la position d'une nouvelle entreprise sur le marché ou le repositionnement et l'affermissement d'une enterprise en activité.

1

CHAPTER ONE

Contents

D — Design proposals which contributed to the chosen design.

Proposte servite per la scelta di una soluzione.

Propositions de design ayant conduit à la solution choisie.

B — The design before alterations made by Minale Tattersfield.

Design prima dell'intervento di Minale Tattersfield.

Design avant l'intervention de Minale Tattersfield.

Exedo

CLIENT

Bally

BRIEF

To develop the branding, packaging and point-of-sale material for Exedo, Bally's new leisure brand.

SOLUTION

The logotype is based on a simple graphic expression which has a feeling of freedom, whilst the strong vibrant colours of black and red encapsulate vitality. It represents the two E's in the brand name and two characters with arms interlinked, suited to this unisex range. This logo has numerous applications, for example, exedo stores will feature the exedo 'loop' as door handles. The exedo product range is packaged in a selection of unique clear Tupperware-style boxes which not only enables the product to be seen when boxed, but gives the packaging real value as it can be reused instead of simply being disposed of.

CLIENTE

Bally

BRIEF

Sviluppare il branding, il packaging e il materiale per i punti vendita di Exedo, il nuovo marchio della Bally per il tempo libero.

SOLUZIONE

Il logotipo si basa su una semplice espressione grafica, che conferisce un senso di libertà, mentre i toni forti, vibranti, del rosso e del nero, esprimono vitalità. Il logotipo, adatto alla linea unisex, rappresenta le due «E» del nome della marca e due personaggi con le braccia intrecciate. Ha numerose possibilità di applicazione, per esempio, i negozi exedo si serviranno di questo «anello» per le maniglie delle porte d'ingresso. I capi della linea exedo sono confezionati in originali scatole di plastica trasparente tipo Tupperware.

CLIENT

Bally

CONTEXTE

Développer le système d'identification
visuelle: image, emballage et PVL Exedo,
la nouvelle marque Bally pour les loisirs.

RESULTAT

Le logotype se base sur une simple expression
graphique qui donne une sensation de liberté, alors
que les tons forts et vibrants du rouge et du noir
transmettent vitalité. Adapté à la ligne unisex, ce
logotype représente les deux "E" du nom de la
marque et symbolise deux personnages bras dessus,
bras dessous. Ses applications sont nombreuses. Les
magasins exedo se serviront par exemple de cette
"boucle" pour les poignées des portes d'entrée. La
ligne exedo est emballée dans d'originales boîtes en
plastique transparent, genre Tupperware.

D

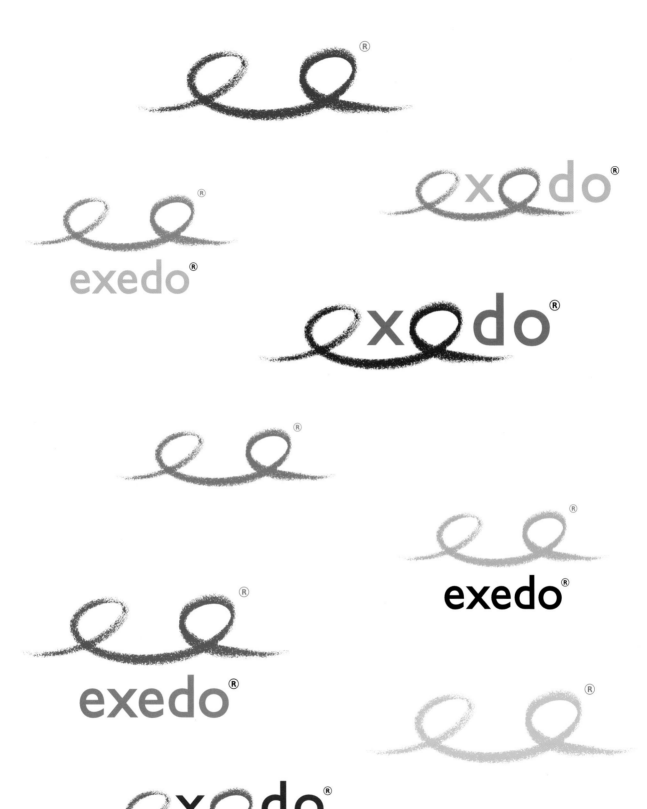

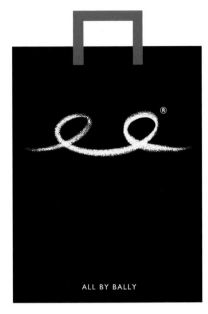

FRONTS

SIDES

LID TOP (PLAN VIEW)

LID TOP

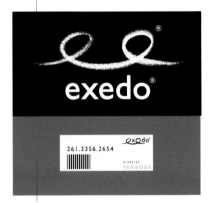

BOX BASE

SWING TICKET

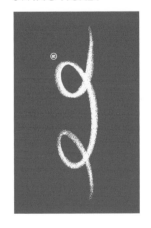

SIZE·

STYLE·

MODEL·

PRICE·

LETTER HEAD 210mm x 297mm

48mm

10mm

20mm

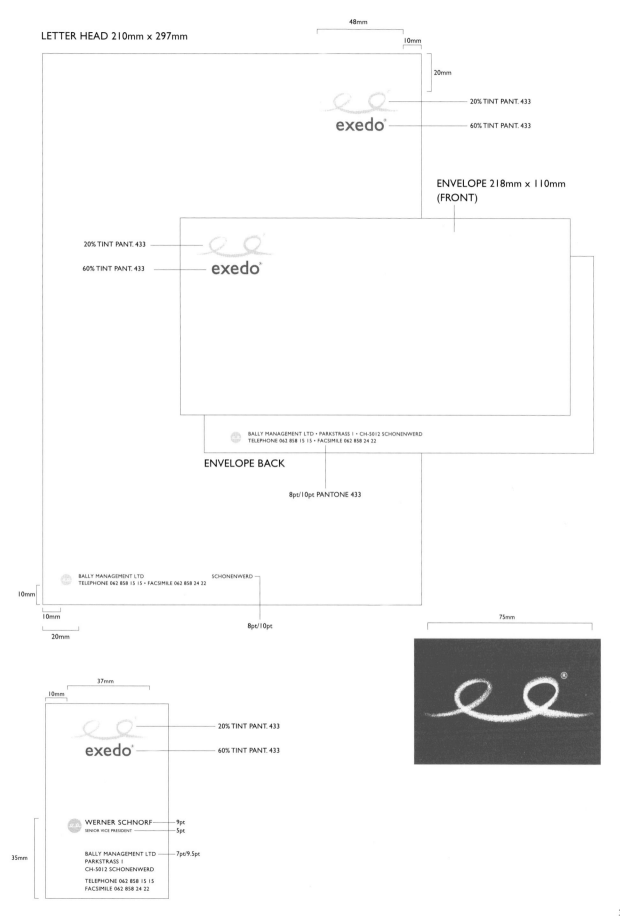

20% TINT PANT. 433

60% TINT PANT. 433

ENVELOPE 218mm x 110mm
(FRONT)

20% TINT PANT. 433

60% TINT PANT. 433

BALLY MANAGEMENT LTD • PARKSTRASS I • CH-5012 SCHONENWERD
TELEPHONE 062 858 15 15 • FACSIMILE 062 858 24 22

ENVELOPE BACK

8pt/10pt PANTONE 433

BALLY MANAGEMENT LTD
TELEPHONE 062 858 15 15 • FACSIMILE 062 858 24 22

SCHONENWERD

10mm

10mm

20mm

8pt/10pt

75mm

37mm

10mm

20% TINT PANT. 433

60% TINT PANT. 433

WERNER SCHNORF — 9pt
SENIOR VICE PRESIDENT — 5pt

BALLY MANAGEMENT LTD — 7pt/9.5pt
PARKSTRASS I
CH-5012 SCHONENWERD

TELEPHONE 062 858 15 15
FACSIMILE 062 858 24 22

35mm

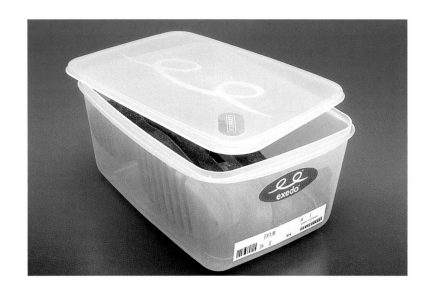

comfort • function • flexibility • for todays ACTIVE PEOPLE• •

®

exodo®

ALL BY BALLY

®

comfort • function • flexibility • for todays modern wear

ALL BY BALLY

comfort • function • flexibility • • • • • • for todays ACTIVE PEOP

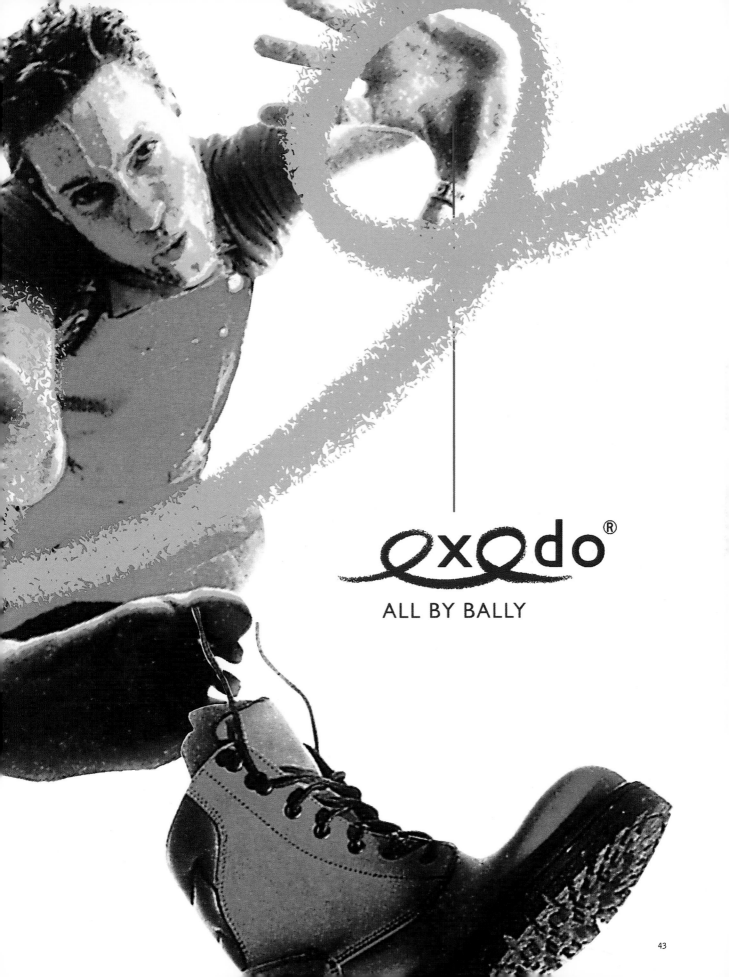

exodo®

ALL BY BALLY

Shop 4 U

CLIENT

Winemark

BRIEF

To design the identity and signage for this retail innovation.

SOLUTION

The concept, intended to challenge large supermarket chains, is a complex of small retail units designed around a central petrol station. The logotype is bold and bright and forms a face, designed to catch the eye of the passing motorist.

CLIENTE

Winemark

BRIEF

Progettare l'immagine e le insegne per questo nuovo sistema di distribuzione e di vendita.

SOLUZIONE

L'idea, che si prefigge di far concorrenza alle catene dei grandi supermercati, consiste nella costituzione di un complesso di piccole unità di vendita al minuto situate intorno a una stazione di servizio. Il marchio è vigoroso e brillante ed è costituito da un volto realizzato in modo da catturare l'occhio dell'automobilista di passaggio.

CLIENT

Winemark

CONTEXTE

Créer l'image et la signalétique pour cette nouvelle forme de distribution et de vente.

RESULTAT

Le projet, dont l'objectif est de faire concurrence aux grandes chaînes de distribution, est un ensemble de petites unités de vente au détail s'implantant autour d'une station service. Le logotype est vigoureux et brillant et forme un visage réalisé de sorte à capturer le regard de l'automobiliste de passage.

Principe	

CLIENT

Principe

BRIEF

Principe is a long established Italian company of leather goods with a reputation for producing high quality as oppose to high fashion. A new company logotype was required to be applied to products, packaging and shop fronts. Whilst reflecting the company's philosophy of high quality, it should also be easily adaptable to their Principissimo range, aimed at a younger, more fashion-conscious clientele.

SOLUTION

Though the old logotype had become outdated, it was important the new one should not be too modern. A symbol was required to represent the high quality of craftsmanship and timeless elegance of the products. The new logo is simple but stylish, the word 'Milano' replacing the words 'Made in Italy', Milan being synonymous with style and elegance.

CLIENTE

Principe

BRIEF

Principe è un'azienda italiana da tempo affermata nel campo della pelletteria, nota come produttrice di articoli di alta qualità, contrapposti a quelli dell'alta moda. Serviva un nuovo marchio da applicare ai prodotti, al packaging e alle insegne dei negozi. Pur rispecchiando la filosofia dell'azienda, incentrata sulla qualità, doveva essere anche facilmente adattabile alla nuova linea Principissimo, che punta a una clientela più giovane e più attenta alla moda.

SOLUZIONE

Anche se il marchio precedente era invecchiato, era importante che il nuovo non fosse eccessivamente moderno. Occorreva un simbolo che rappresentasse la qualità artigianale e l'eleganza senza tempo degli articoli Principe. Il nuovo marchio è semplice ma elegante, con il nome di Milano che prende il posto delle parole «Made in Italy», essendo oramai la città lombarda sinonimo di stile e di eleganza.

CLIENT

Principe

CONTEXTE

Principe est une société italienne qui s'est affirmée depuis longtemps dans le secteur de la maroquinerie. Elle est célèbre pour sa production d'articles de qualité contrastant avec ceux de la haute couture. Elle avait besoin d'une nouveau logotype applicable aux produits, au packaging et aux enseignes des magasins. Tout en respectant la philosophie de l'entreprise qui mire à la qualité, il devait facilement s'adapter à la nouvelle ligne Principissimo destinée à une clientèle plus jeune et suivant la mode de plus près.

RESULTAT

Même si le logo précédent était dépassé, le nouveau ne devait pas être trop moderne. Il fallait un symbole représentant la qualité artisanale et l'élégance hors temps des articles. Le nouveau logo est simple mais élégant, le mot Milano remplace les mots ''Made in Italy'', Milan étant désormais synonyme de style et d'élégance.

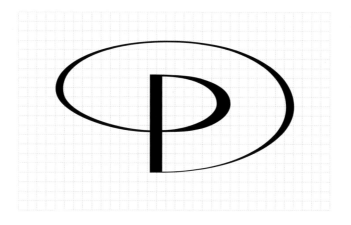

Carrier bag (large)

Carrier bag (small)

Swing ticket

Carrier bag (large)

Carrier bag (small)

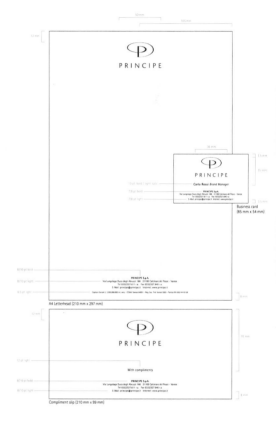

Business card
(85 mm x 54 mm)

A4 Letterhead (210 mm x 297 mm)

Compliment slip (210 mm x 99 mm)

Swing ticket

Application on metal

PRINCIPE

PRINCIPE

CLASSICO

VIA MONTE NAPOLEONE · MILANO

IGDS

CLIENT

Intercontinental Group of Department Stores

BRIEF

To update the existing corporate identity, emphasising the group's global approach. The organization is a consortium of department stores, creating a forum for members from different countries to meet and share information - a type of global networking.

SOLUTION

Certain stipulations required that the initials be retained and spelt out. The addition of a strapline "Stores of Experience" conveys the nature of their business. The logotype presents the notion of global exchange in the form of two halves interchanging and making a continuous whole - a circle or a globe. A unique typeface gives the logo originality and the colour blue from the old logo was retained but darkened to give a link with the past.

IGDS

CLIENTE

Intercontinental Group of Department Stores

BRIEF

Aggiornare l'attuale immagine coordinata, mettendo in evidenza l'approccio internazionale del gruppo. L'organizzazione è un consorzio di grandi magazzini e costituisce un punto d'incontro per imprese di diversi paesi, per confrontarsi e scambiare informazioni, una sorta di rete mondiale.

SOLUZIONE

Certe disposizioni imponevano di conservare la sigla e l'intera denominazione. L'aggiunta di una scritta «Stores of Experience» rimanda al carattere specifico dell'attività. Il marchio illustra il concetto di scambio internazionale, con la forma di due metà che coincidono e formano un tutto intero - un cerchio o un globo. Un'originale soluzione tipografica dà un carattere tutto suo al marchio e il colore azzurro del logotipo precedente è reso più scuro, ma non scompare, in modo da assicurare la continuità col passato.

INTERCONTINENTAL GROUP
OF DEPARTMENT STORES
Founded 1946

Birmensdorferstrasse 55
PO Box 9124
CH-8036 Zürich Switzerland

Telephone +41 1 295 3080
Fax +41 1 291 5000
Email igds@compuserve.com

Nicole Kaufmann
Administration & Event Manager

IGDS Secretariat:
Birmensdorferstrasse 55
PO Box 9124
CH-8036 Zürich Switzerland
Telephone +41 1 295 3080
Fax +41 1 291 5000
E-mail igds@compuserve.com

ANDORRA	Pyrenées	INDONESIA	Matahari
AUSTRALIA	Myer Grace Bros	ITALY	Gruppo Coin
AUSTRIA	Kastner + Öehler	JAPAN	Takashimaya
BELGIUM	Inno	KOREA	Lotte Department Store
CHINA	China Far Eastern Department Stores (Taipei)	MALAYSIA	Parkson
	Shangh No. I Department Store (Shanghi)	NETHERLANDS	Vroom & Dreesman
	Shui Hing (Hong Kong)	SINGAPORE	C.K. Tang
DENMARK	F. Salling	SOUTH AFRICA	Edgards
ENGLAND	Selfridges	SWEDEN	Åhléns
FINLAND	Anttila	SWITZERLAND	Jelmoli / Manor
FRANCE	Printemps	THAILAND	Central Department Store
GERMANY	Karstadt	VENEZUELA	Centrobeco
GREECE	Lambropoulos		

IGDS

INTERCONTINENTAL GROUP
OF DEPARTMENT STORES
Founded 1946

Birmensdorferstrasse 55
PO Box 9124
CH-8036 Zürich Switzerland

Telephone +41 1 295 3080
Fax +41 1 291 5000
Email igds@compuserve.com

MEMBER OF

IGDS

INTERCONTINENTAL
GROUP OF
DEPARTMENT STORES

CLIENT

Intercontinental Group of Department Stores

CONTEXTE

Réactualiser l'image d'enterprise existante en
soulignant l'approche international du groupe.
L'organisation est un consortium de grands magasins
où les membres, provenant de différents pays, se
rencontrent et échangent des informations - une
sorte de réseau mondial.

RESULTAT

Certaines dispositions obligeaient à conserver les
initiales et la denomination toute entière.
L'introduction de l'inscription "Stores of
Experience" évoque la nature de leurs affaires. Le
logotype présente la notion d'échange international,
avec la forme de deux moitiés qui s'échangent et
constituent un tout - un cercle ou un globe. Une
solution typographique originale donne un
caractère propre au logo.

D

D

IGDS
INTERCONTINENTAL
GROUP OF
DEPARTMENT
STORES

IGDS
INTERCONTINENTAL
GROUP OF
DEPARTMENT
STORES

D

IGDS
Joint Ventures

IGDS
Conference

IGDS
Information

Madame Tussauds

CLIENT	BRIEF	SOLUTION
The Tussauds Group	To design a new identity to convey a first class and modern museum whilst at the same time capturing the historic tradition of these famous wax works. It should appeal to all age groups as a fun experience for all the family and the name 'Madame Tussauds' should be the focus of the design.	Characters in silhouette form the letters of 'Madame Tussauds'. Some are generic characters depicted in well known occupations - a footballer, policeman or astronaut. Others are easily recognisable figures from history and film such as Marilyn Monroe or Harold Lloyd. The identity suggests that inside the museum ordinary people can rub shoulders with the stars.

CLIENTE	BRIEF	SOLUZIONE
Il gruppo Tussauds	Disegnare una nuova immagine che trasmetta bene le qualità di un museo eccellente e moderno, ma che nello stesso tempo sappia cogliere gli elementi di tradizione storica di queste celebri sculture in cera. Deve rivolgersi a ogni classe d'età proponendosi come un divertimento per tutta la famiglia e deve focalizzarsi sul nome: "Madame Tussauds".	Le lettere del nome "Madame Tussauds" sono formate dalle silhouette dei personaggi, alcuni dei quali sono figure generiche rappresentate mentre svolgono un'occupazione; un calciatore, un poliziotto, un astronauta. Altri sono celebrità della storia o dello spettacolo, come Marilyn Monroe e Harold Lloyd. L'immagine suggerisce l'idea che all'interno del museo la gente comune può trovarsi faccia a faccia con le più famose stelle.

CLIENT

Le Groupe Tussauds

CONTEXTE

Dessiner un nouveau logotype transmettant l'image d'un musée de première classe et moderne, mais aussi capable de saisir les éléments de tradition historique de ces célèbres sculpures en cire. Il doit s'adresser à tous les âges, se présenter comme un divertissement pour toute la famille et se focaliser sur le nom: "Madame Tussauds".

RESULTAT

Les lettres du nom "Madame Tussauds" sont formées par les silhouettes des personnages, dont certains sont des figures génériques représentées dans l'exécution d'une activité: un chasseur, un policier, un astronaute. D'autres sont des personnages célèbres de l'histoire et du spectacle, comme Marilyn Monroe et Harold Lloyd. Le logotype suggère l'idée que le musée offre aux gens ordinaires l'occasion de se trouver face à face avec les plus grandes étoiles.

Tipico Pizza

CLIENT

The Italian Pizza Company

BRIEF

To design the brand and retail outlets of the new take-away and delivery pizza division.

SOLUTION

The name is drawn from the initials of 'The Italian Pizza Company'. The chosen logotype of a squashed tomato with a flourish of olives and herbs conveys the freshness of the ingredients, the speed of its delivery and also the fun side of Italy's passionate love of food. It is designed to appeal to the young who are more likely to be open to the idea of take-away pizza - a new concept to Italians.

CLIENTE

The Italian Pizza Company

BRIEF

Progettare il marchio e i punti vendita della nuova azienda che opera nel campo delle pizze take-away e a domicilio.

SOLUZIONE

Il nome è un acrostico di «The Italian Pizza Company». Il marchio scelto rappresenta un pomodoro schiacciato con un condimento di olive ed erbe aromatiche, che trasmette un'idea di freschezza degli ingredienti, di rapidità di consegna e anche l'aspetto godevole dell'amore appassionato dell'Italia per la buona cucina. E' studiato per attirare i giovani, che più facilmente accetteranno l'idea di una pizza a domicilio, una novità per gli italiani.

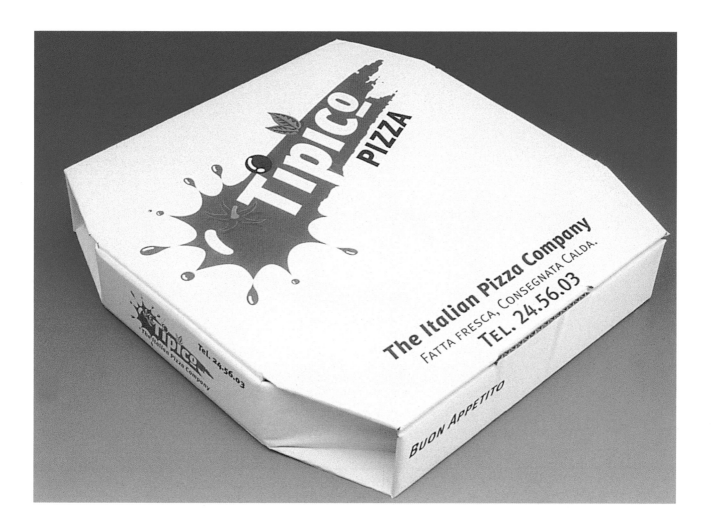

CLIENT

The Italian Pizza Company

CONTEXTE

Créer la marque et l'environnement des points de vente de la nouvelle activité de pizzas à emporter ou livrées à domicile.

RESULTAT

Le nom est un acrostiche de "The Italian Pizza Company". Le logotype choisi représente une tomate écrasée avec des olives et des herbes arômatiques qui donnent une idée de fraîcheur des ingrédients, de livraison rapide, outre l'aspect agréable de l'amour passionné de l'Italie pour la bonne cuisine. Il a été conçu pour attirer les jeunes qui acceptent plus facilement l'idée d'une pizza à emporter, une nouveauté pour les italiens.

Cribbs Causeway

CLIENT

Cribbs Causeway

BRIEF

To redesign the corporate identity for this large shopping complex.

SOLUTION

A bold logotype juxtaposed against a simple graphic representation of a bird. The bird is inspired by the two C's of Cribbs Causeway and has an innate sense of freedom which reflects the aspirational lifestyle choices of the centre's patrons. The name is taken from a farm which used to be located on the site.

CLIENTE

Cribbs Causeway

BRIEF

Riprogettare l'immagine coordinata di un grande complesso commerciale.

SOLUZIONE

Un logotipo marcato accostato alla semplice rappresentazione grafica di un uccello, che riprende le due «C» di Cribbs Causeway; l'innato senso di libertà di questo animale comunica l'idea dell'aspirazione a un'esistenza indipendente, tipica dei clienti del centro. Il nome è ricavato da quello di una fattoria che una volta si trovava nel luogo dove sorge il centro.

KEY INDICATES BUTT UP POINT OF WHITE BACKGROUND COLOUR

PANTONE 151C

0% CYAN, 50% MAGENTA, 100% YELLOW, 0% BLACK

PANTONE PROCESS YELLOW

0% CYAN, 0% MAGENTA, 100% YELLOW, 0% BLACK

PANTONE 313C

100% CYAN, 0% MAGENTA, 6% YELLOW, 18% BLACK

CLIENT

Cribbs Causeway

CONTEXTE

Recréer le système d'identification visuelle de ce grand centre commercial.

RESULTAT

Un logotype fort juxtaposé à la simple représentation graphique d'un oiseau. L'oiseau reprend les deux "C" de Cribbs Causeway; le sens de liberté inné de cet animal communique l'idée de l'aspiration à une existence indépendante, typique des clients de ce centre commercial. Le nom reprend celui d'une ferme qui se trouvait autrefois à l'endroit même où le centre a été implanté.

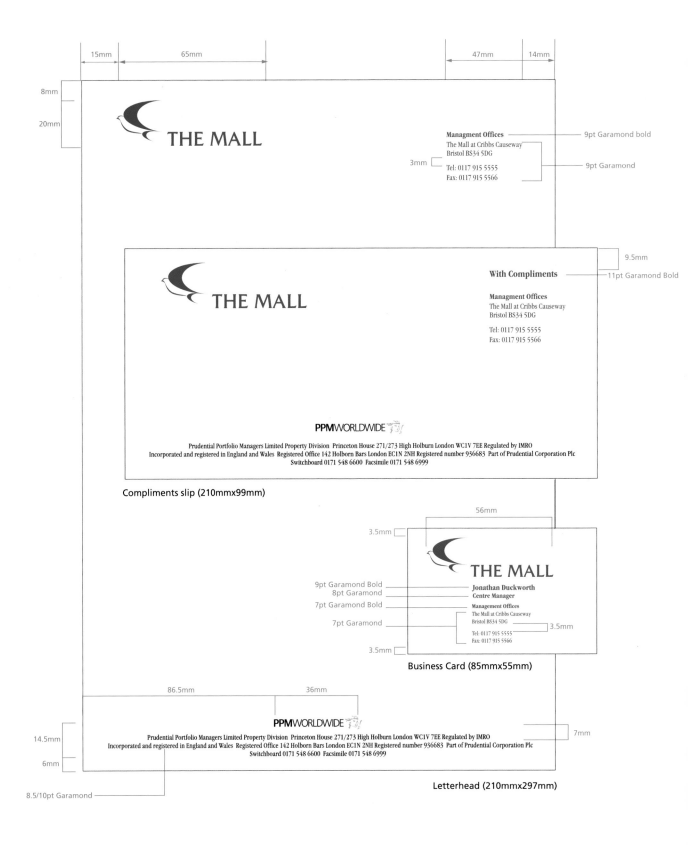

15mm   65mm   47mm   14mm

8mm

20mm

THE MALL

Managment Offices ———— 9pt Garamond bold
The Mall at Cribbs Causeway
Bristol BS34 5DG
3mm ——— Tel: 0117 915 5555 ———— 9pt Garamond
Fax: 0117 915 5566

9.5mm

THE MALL

With Compliments ———— 11pt Garamond Bold

Managment Offices
The Mall at Cribbs Causeway
Bristol BS34 5DG

Tel: 0117 915 5555
Fax: 0117 915 5566

PPMWORLDWIDE

Prudential Portfolio Managers Limited Property Division Princeton House 271/273 High Holburn London WC1V 7EE Regulated by IMRO
Incorporated and registered in England and Wales Registered Office 142 Holborn Bars London EC1N 2NH Registered number 936683 Part of Prudential Corporation Plc
Switchboard 0171 548 6600 Facsimile 0171 548 6999

Compliments slip (210mmx99mm)

56mm

3.5mm

THE MALL

9pt Garamond Bold ———— Jonathan Duckworth
8pt Garamond ———— Centre Manager
7pt Garamond Bold ———— Management Offices
The Mall at Cribbs Causeway
7pt Garamond ———— Bristol BS34 5DG
3.5mm
Tel: 0117 915 5555
Fax: 0117 915 5566
3.5mm

Business Card (85mmx55mm)

86.5mm   36mm

14.5mm

6mm

PPMWORLDWIDE

Prudential Portfolio Managers Limited Property Division Princeton House 271/273 High Holburn London WC1V 7EE Regulated by IMRO
Incorporated and registered in England and Wales Registered Office 142 Holborn Bars London EC1N 2NH Registered number 936683 Part of Prudential Corporation Plc
Switchboard 0171 548 6600 Facsimile 0171 548 6999

7mm

8.5/10pt Garamond

Letterhead (210mmx297mm)

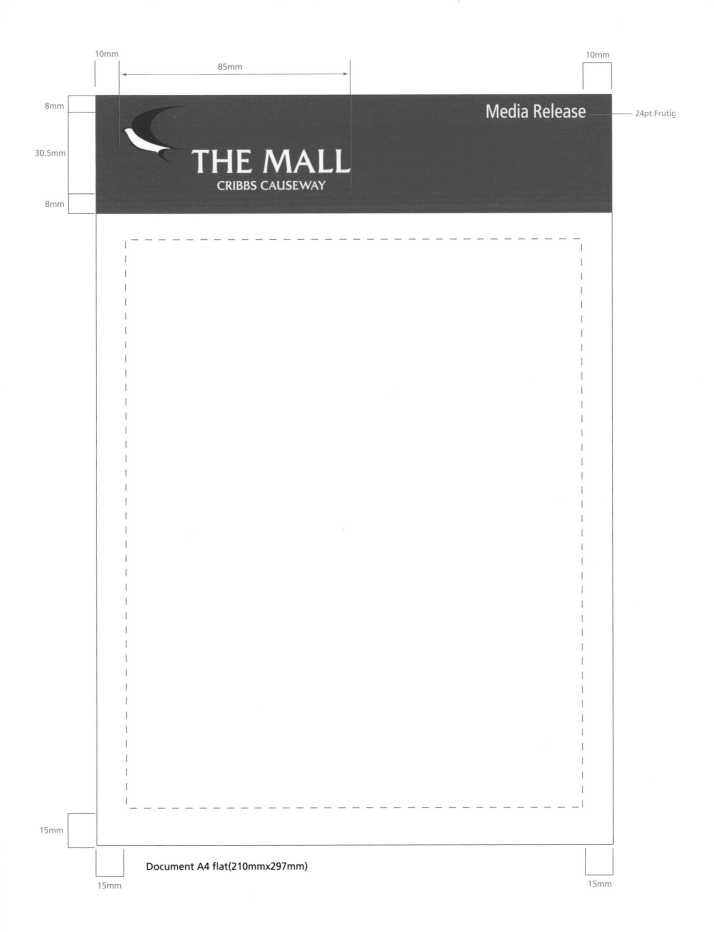

10mm

85mm

10mm

8mm

Media Release — 24pt Frutig

30.5mm

THE MALL
CRIBBS CAUSEWAY

8mm

15mm

Document A4 flat(210mmx297mm)

15mm

15mm

Nuova Forneria

CLIENT

Motta/Nuova Forneria

BRIEF

To design a logotype for the Nuova Forneria brand. Also to update and extend the range of packaging for the well-established breakfast treat, 'Buondi' and to design the packs for a new range of cakes.

SOLUTION

To maintain continuity with the already well established brand, the typeface and stripes were kept from the previous packs. However, to add a home-baked feel, an effect of a napkin folded around the pack was created. The introduction of a chef character - the new Nuova Forneria logo, emphasises high quality. Bright colours are used for a strong shelf impact. A unique pack with a handle was created for the new range of cakes. The ingredients are illustrated, again to emphasise quality.

CLIENTE

Motta/Nuova Forneria

BRIEF

Progettare un logotipo per il marchio Nuova Forneria. Inoltre aggiornare e ampliare la gamma di confezioni della linea affermata delle tortine per colazione «Buondì» e realizzare quelle di una nuova serie di dolci.

SOLUZIONE

Per mantenere la continuità con il marchio già consolidato, se ne riprendono i caratteri della scritta e le righe vivaci. Però, per dare la sensazione di un prodotto fatto in casa, si crea l'effetto di un tovagliolo annodato intorno alla confezione. L'introduzione della figura di un cuoco (il nuovo logo della Nuova Forneria) ne evidenzia le caratteristiche di alta qualità. Per dare un forte impatto e una grande visibilità sullo scaffale, si utilizzano colori brillanti.

CLIENT

Motta/Nuova Forneria

CONTEXTE

Créer un logotype pour la marque Nuova Forneria. Et puis réactualiser et élargir la série d'emballages pour la célèbre gamme de petits déjeuners ''Buondì'' et créer les emballages pour une nouvelle gamme de petits gâteaux.

RESULTAT

Pour assurer la continuité de la marque, on a réutilisé les mêmes caractères typographiques et les mêmes lignes brillantes. Mais pour transmettre la sensation d'un produit fait maison, on a créé l'effet d'un serviette de table nouée autour de l'emballage. L'introduction de l'image d'un cuisinier (le nouveau logo de la Nuova Forneria) souligne la haute qualité du produit. Les couleurs brillantes servent à renforcer l'impact et la visibilité sur le linéaire. Une boîte originale avec une poignée a été conçue pour la nouvelle gamme de gâteaux.

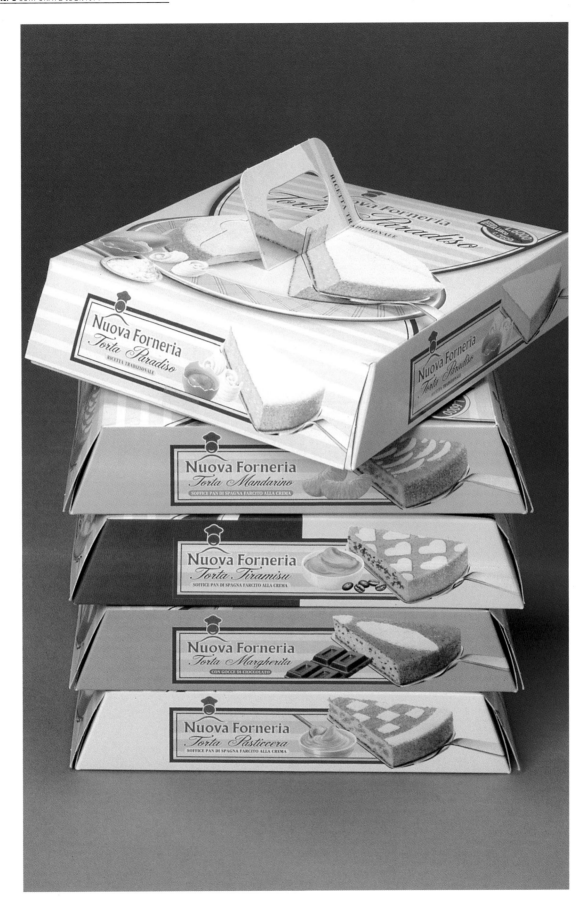

The Bolton Group

CLIENT

The Bolton Group

BRIEF

To design a new corporate identity for this multi-national conglomerate.

SOLUTION

The logotype is based on a romanesque column with the 'B' forming the base. This projects an image of reliability and good management built on solid foundations. In the photograph on the front of the company brochure, the column bases are highlighted and the presence of a family group suggests a people-orientated company committed to clients and staff alike.

CLIENTE

Bolton Group

BRIEF

Progettare una nuova immagine coordinata per questa multinazionale.

SOLUZIONE

Il logotipo è basato su una colonna romanica con la «B» che ne forma la base. Questa soluzione comunica un'immagine di affidabilità e di buona gestione, costruita su solide fondamenta. Nella fotografia sulla copertina della brochure aziendale, le basi della colonna sono accentuate e la presenza di un gruppo familiare suggerisce l'idea di una società che si rivolge alla gente e che si prende cura sia dei propri clienti sia dei dipendenti.

CLIENT

Bolton Group

CONTEXTE

Créer un nouveau système d'identification visuelle pour cette multinationale.

RESULTAT

Le lotogype s'inspire d'une colonne romane ayant pour base la lettre "B". Il transmet une image de fiabilité et de bonne gestion construite sur des fondations solides. Sur la photo de couverture de la brochure de l'entreprise, les fondations de la colonne sont mises en évidence et la présence d'une famille suggère l'idée d'une société s'adressant à tous ceux qui prennent soin de leurs clients et leurs employés.

BOLTON
GROUP

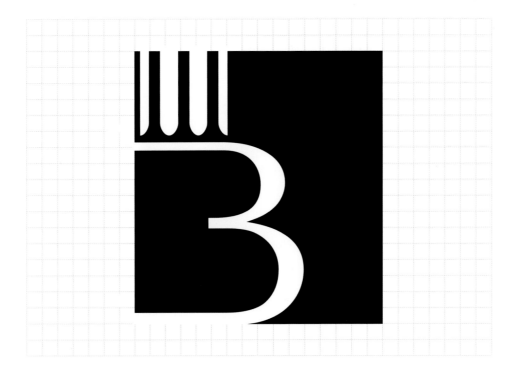

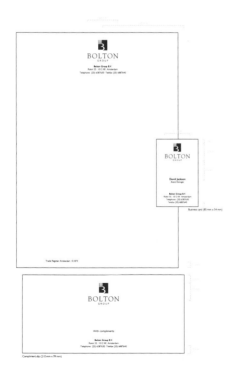

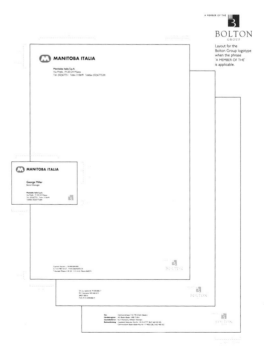

The Eden Project

CLIENT

The Eden Project

BRIEF

To design the logotype for the Eden Project - a 'Millennium' venture to build an immense greenhouse in Cornwall, the largest enclosed botanical gardens in the world.

SOLUTION

The logo is a glass globe representing the whole world as a greenhouse with land masses indicated by leaves. This captures the spirit of the project - an environmental project on a global scale to protect and promote many endangered plant species.

CLIENTE

Eden Project

BRIEF

Disegnare il logotipo del progetto Eden, un'iniziativa 'Millennium' che prevede la costruzione in Cornovaglia di un'immensa serra, destinata a contenere il più grande orto botanico al coperto del mondo.

SOLUZIONE

Il logo è costituito da un globo di vetro, che rappresenta il mondo intero come una serra, con il profilo dei continenti delimitato da foglie. Si coglie così lo spirito dell'iniziativa: un progetto ecologico su scala mondiale, per proteggere e far conoscere molte specie vegetali a rischio.

CLIENT

Eden project

CONTEXTE

Dessiner le logotype pour le projet Eden, "Millennium", qui envisage la construction, en Cornouaille, d'une immense serre destinée à abriter le plus grand jardin botanique couvert du monde.

RESULTAT

Le logo est formé d'un globe en verre représentant le monde entier comme une serre, où les continents sont symbolisés par des feuilles. L'esprit du projet est évident: un projet écologique à l'échelle mondiale, pour protéger et faire connaître de nombreuses espèces végétales en voie de disparition.

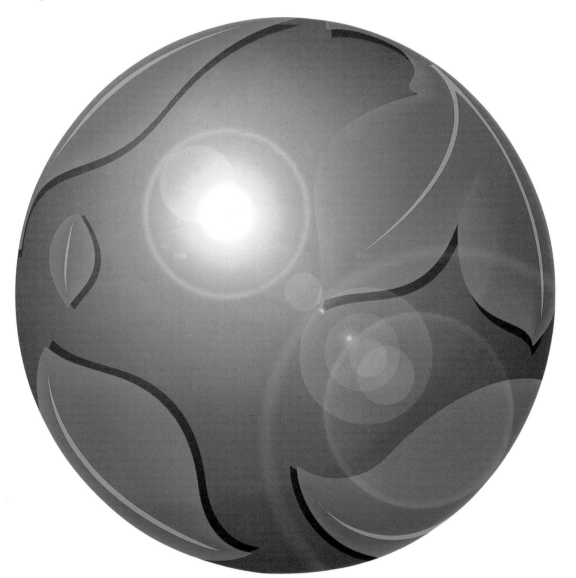

THE EDEN PROJECT

Express Dairy plc

CLIENT

Express Dairies plc

BRIEF

To undertake the vast corporate identity programme of the new plc and its five trading divisions, created following the demerger of Northern Foods plc and its dairy business as a separately listed company "Express Dairies plc".

SOLUTION

Express Dairies is the UK's largest supplier of liquid milk and cream and this was the largest demerger of its kind the food industry has seen. All the new identities use colours traditionally associated with the dairy market and focus on the speed of service suggested by the name 'Express', the freshness and high quality of the produce.

Dairy Operations

CLIENTE

Express Dairies plc

BRIEF

Seguire il vasto programma dell'immagine coordinata della nuova società per azioni con le sue cinque divisioni commerciali, creata in seguito allo scorporo tra la Northern Foods plc e la sua divisione lattiero-casearia, ora operante come organizzazione separata, appunto la Express Dairies plc.

SOLUZIONE

La Express Dairies è la principale azienda inglese fornitrice di latte e panna liquida e quella citata è stata la più importante operazione di scorporo nel settore dell'industria alimentare. Tutte le nuove immagini utilizzano colori tradizionalmente connessi al mercato lattiero-caseario e puntano sulla rapidità del servizio, come indica anche il nome 'Express', oltre che sulla freschezza e sulla qualità del prodotto.

Express Dairies
Direct Service

Express Dairies
Major Retail

Express Dairies
Ingredients

Express Dairies
Distribution

Express Dairies
Ireland

CLIENT

Express Dairies plc

CONTEXTE

Suivre le vaste programme du système
d'identification visuelle de la nouvelle société
anonyme et de ses 5 divisions commerciales, créée
suite à la séparation de Northern Foods de sa
branche laitière et fromagère, désormais sous la
direction de la société Express Dairies.

RESULTAT

Express Dairies est le plus grand fournisseur anglais
de crème et lait à l'état liquide, et la séparation
susdite est la plus importante que n'ait jamais vu le
secteur alimentaire. Tous les éléments du nouveau
système d'identification visuelle utilisent les couleurs
traditionnellement associées au marché fromager, et
mirent sur la rapidité du service, comme l'indique
son nom "Express", sur la fraîcheur et la haute
qualité du produit.

Awards For All

CLIENT

National Lottery Charities Board

BRIEF

The 'Awards for All' scheme is allotted 10% of all lottery money. It provides grants for community projects with small budgets. A symbol was required which reflects the community spirit which is often invested in such projects.

SOLUTION

The logotype is based on the letter 'A' of 'Awards' but doubles as an energetic figure with arms outstretched in an all-embracing gesture. Bright primary colours create a strong impact. The logo can be used alone or repeated to form a line of people with hands interlinked. The grants cover four areas: charities, arts, sports and heritage. When these categories are listed and the first letter highlighted it spells out the word 'Cash' - essential if the scheme is to function.

CLIENTE

National Lottery Charity Board

BRIEF

Al programma «Awards for All» ("Premi per tutti") è destinato il 10% delle entrate di tutte le lotterie inglesi. Le somme raccolte servono a finanziare i progetti di comunità che hanno pochi fondi a disposizione. Serviva un simbolo che rispecchiasse lo spirito comunitario che spesso è impegnato in progetti del genere.

SOLUZIONE

Il logotipo prende spunto dalla lettera «A» di «Awards», trasformata in una figura piena d'energia con le braccia tese come in un abbraccio generale. I colori primari e brillanti creano un forte impatto. Il simbolo è utilizzabile da solo o può formare una fila di persone che si tengono sottobraccio. I fondi hanno quattro destinazioni: beneficienza, arte, sport e tradizioni. Le quattro categorie in inglese (charities, art, sports, heritage) formano l'acrostico CASH che significa «denaro contante», essenziale per far funzionare il programma.

CLIENT

National Lottery Charity Board

CONTEXTE

Le programme "Awards for All" ("Tout le monde y gagne") bénéficie de 10% des gains de toutes les lotteries anglaises. Les sommes récoltées servent à financer les projets de collectivités disposant de très peu de fonds. Il fallait un symbole reflétant l'esprit communautaire souvent investi dans ce genre de projet.

RESULTAT

Le logotype dérive de la lettre "A" de "Awards" qui a toutefois été doublée de sorte à former une figure très énergique dont les bras tendus semblent embrasser le monde entier. Le symbole peut être utilisé seul ou bien être reproduit plusieurs fois de sorte à représenter toute une rangée de personnes qui se tiennent bras dessus, bras dessous. Les fonds ont quatre destinations: oeuvres de charité, arts, sports et tradition. Les quatre catégories en anglais forment l'acrostiche CASH qui signifie "argent comptant", un facteur essentiel à la bonne marche du programme.

Allsport

CLIENT

Allsport

BRIEF

To redesign the company logo.

SOLUTION

Allsport produces a series of books which form a picture library of sporting events. The initial concept was that of the finishing tape against a black background which represents a transparency. The company name doubles as the sprocket holes of the transparency. The final design is based on the idea of a chinagraph pencil highlighting the images to be chosen for the book. It also represents the 'A' of Allsport. The design conveys the fact that it is a high quality collection of carefully selected images.

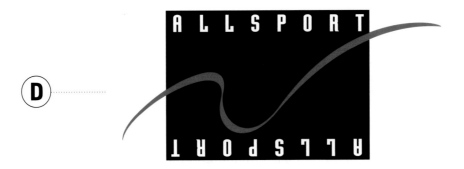

THE INTERNATIONAL SPORTS PICTURE AGENCY

CLIENTE

Allsport

BRIEF

Ridisegnare il marchio dell'azienda.

SOLUZIONE

Allsport produce una collana di libri che forma una biblioteca di immagini tratte da avvenimenti sportivi. Il concetto iniziale era quello del nastro d'arrivo su di uno sfondo nero, che rappresenta una pellicola. Il nome dell'azienda si sdoppia come i fori laterali della pellicola. La soluzione definitiva si basa sull'idea di un normografo che evidenzia le immagini da scegliere per il libro e rappresenta inoltre la «A» di Allsport. Il design trasmette l'idea di una raccolta di immagini di qualità scelte con la massima cura.

CLIENT

Allsport

CONTEXTE

Redessiner le logotype de l'entreprise.

RESULTAT

Allsport publie une série de livres formant une véritable collection d'images reprises d'évènements sportifs. L'idée d'origine était un ruban d'arrivée sur fond noir se présentant comme une film. Le nom de l'entreprise se double comme les bords peforés du film. La solution finale est fondée sur l'idée d'un normographe qui met en évidence les images à choisir pour le livre et le logo représente aussi le "A" de Allsport. Le dessin transmet l'idée d'une collection d'images de haute qualité et choisies avec le plus grand soin.

Allsport

Northern Dairies

CLIENT

Northern Dairies

BRIEF

To design the new identity for Northern Dairies suitable for various applications, including uniforms, stationery and the livery for vehicles delivering milk to large supermarkets.

SOLUTION

A clean, bold logotype in blue and white effectively conveys the company's line of business. For the van livery, the logotypes of the two companies are combined to form an integrated design for effective dual branding. The blue background of the Northern Dairies logotype forms a blue sweep above the Safeway symbol and the milk appears to flow along the length of the van.

CLIENTE

Northern Dairies

BRIEF

Ridisegnare una nuova immagine della Northern Dairies adattabile a varie applicazioni: le uniformi, il materiale di cancelleria, gli automezzi per le consegne e i grandi supermercati.

SOLUZIONE

Un logo bianco e blu dai tratti puliti e forti comunica con efficacia l'attività in cui è impegnata l'azienda. Per i furgoni che consegnano i prodotti, i nomi delle due aziende sono uniti in modo da formare un doppio marchio che operi in sinergia. Lo sfondo blu della Northern Dairies forma una linea curva sul simbolo Safeway, mentre lungo tutta la fiancata dell'automezzo compare un fiotto di latte.

CLIENT

Northern Dairies

CONTEXTE

Dessiner la nouvelle image de la Northern Dairies qui devra s'appliquer à différents supports comme les uniformes, les articles de bureau, les moyens de transport et de livraison aux grandes surfaces.

RESULTAT

Un logo blanc et bleu aux traits propres et forts communique avec efficacité le type d'activité de l'entreprise. Pour les fourgons préposés à la livraison, les logotypes des deux entreprises ont été combinés de sorte à former un design intégré transmettant une idée de synergie. Le fond bleu de la Northern Dairies forme une ligne courbe sur le symbole Safeway alors que l'image du lait qui s'écoule apparait sur tout le flanc du camion.

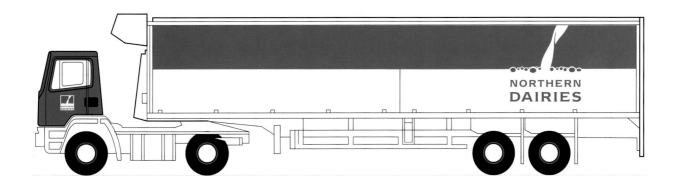

Paegas

CLIENT

Paegas, Prague

BRIEF

To design a new corporate identity for an independent telecommunications company in the Czech Republic.

SOLUTION

The corporate symbol is based on the wing of the mythological horse, Pegasus, reflecting the speed of today's telecommunications. The company name, which appears as a handwritten signature note, emphasises the belief in a personal service with excellent client care.

CLIENTE

Paegas, Praga

BRIEF

Progettare una nuova immagine coordinata per una società privata di telecomunicazioni della Repubblica Ceca.

SOLUZIONE

Il simbolo dell'azienda prende spunto dall'ala di Pegaso, il cavallo volante della mitologia classica, e rispecchia la rapidità delle telecomunicazioni di oggi. Il nome, che appare come una firma scritta a mano, mette in luce la fiducia in un servizio alle persone che presta la massima attenzione ai propri clienti.

CLIENT

Paegas, Prague

CONTEXTE

Créer le nouveau système d'identification visuelle d'une entreprise privée de télécommunications de la République Tchèque.

RESULTAT

Le symbole de l'entreprise s'inspire de l'aile du cheval ailé, Pégase, qui représente la rapidité des télécommunications d'aujourd'hui. Le nom de l'entreprise, se présentant comme une signature, souligne la confiance dans un service qui prend le plus grand soin de ses clients.

Cover your Paegas mobile phone purchase
with your American Express card...

...and you don't have to pay any deposits!

Paegas mobile phone card and American
Express credit card are a good match! When
buying Paegas GSM services - you can choose
to pay for both your phone as well as for
future monthly payments with your American
Express card. Hassle free! Moreover
you don't have to worry about paying

any deposits up front - for roaming and international calls - your American Express card
guarantees it to you. With Paegas, you also get
a great coverage in the Czech Republic
and great roaming services in 40
countries on 4 continents.
Paegas - Quality Communication Paegas

El-Maghraby Eye & Ear Hospital

CLIENT

El-Maghraby Eye & Ear Hospital, Kuwait.

BRIEF

To update the existing logo for the El-Maghraby Eye & Ear Hospital in Kuwait.

SOLUTION

A simple design incorporating both the eye and the ear in a single symbol. An energy is created by the circular lines and this, together with the logo's clinical simplicity, suggests an efficient organization which adheres to exacting standards.

EL-MAGHRABY EYE & EAR HOSPITAL

CLIENTE

El-Maghraby, Kuwait

BRIEF

Modernizzare il marchio dell'Ospedale oftalmologico e audiologico del Kuwait.

SOLUZIONE

Un design semplice che racchiude l'occhio e l'orecchio in un unico simbolo. Le linee circolari creano energia e questo aspetto, insieme alla nitidezza quasi chirurgica del marchio, trasmette l'idea di un'organizzazione efficiente che si attiene a norme rigorose.

CLIENT

El-Maghraby, Kuwait.

CONTEXTE

Réactualiser le logotype de l'hôpital d'ophtalmologie et d'otologie du Kuwait.

RESULTAT

Un dessin simple réunissant dans un seul symbole l'oeil et l'oreille . L'énergie transmise par les lignes circulaires, ainsi que la netteté clinique du logo, donnent l'idée d'une organisation efficiente respectant des règles bien précises.

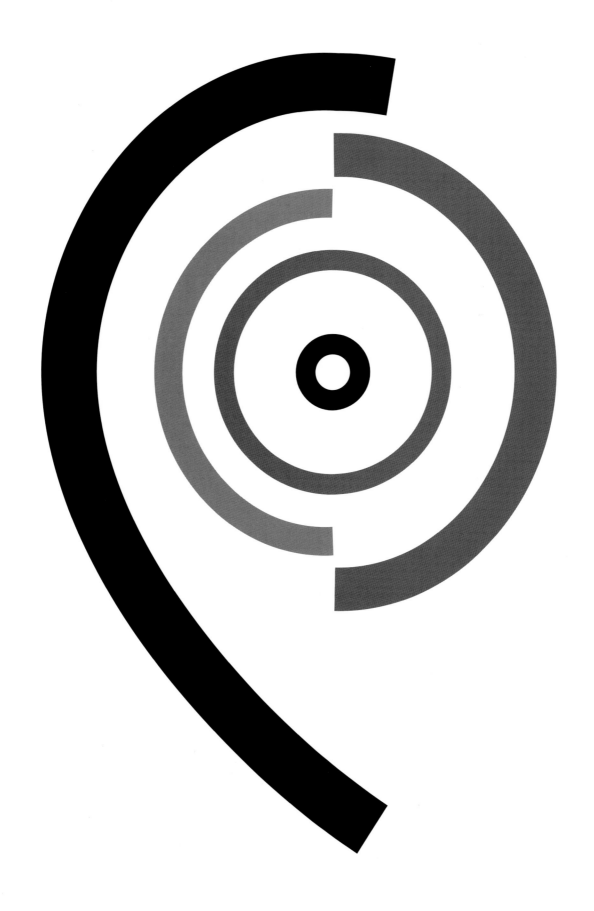

Fondazione Setificio

CLIENT

Fondazione Setificio

BRIEF

To create an updated identity which better reflects the fact the foundation is a school of textiles.

SOLUTION

Based on the idea of silk threads, the logotype represents an intertwined 'F' and an 'S'. Simple yet sophisticated, using two letters it conveys the discipline taught at the school.

CLIENTE

Fondazione Setificio

BRIEF

Creare un'immagine più moderna che rifletta meglio il fatto che la fondazione è una scuola di tecniche tessili.

SOLUZIONE

Basato sull'idea dei fili di seta, il marchio rappresenta una F e un S intrecciate. Semplice ma sofisticato, grazie all'impiego di due sole lettere, comunica l'idea della materia che viene insegnata nella scuola.

CLIENT

Fondazione Setificio

CONTEXTE

Créer une image plus moderne qui transmettent mieux le fait que la fondation est une école de techniques textiles.

RESULTAT

S'inspirant des fils de soie, le logo représente un F et un S tressés. Simple et sophistiqué à la fois, grâce à l'utilisation de deux lettres uniquement, il communique l'idée de la matière enseignée dans cette école.

Mincom

CLIENT

Mincom

BRIEF

Headquartered in Brisbane, Australia, Mincom is the nation's largest exporter of computer software, providing Information Technology products and services to the world. The company sought a new identity to reposition itself as a global leader in the supply of business management, geological and mineplanning software.

SOLUTION

The Mincom symbol is a two colour graphic device representing global innovation in software and information technology products. The coils that form Mincom's initials, a red 'M', are styled on the disks of a computer hard drive, a storage device synonymous with the software and the information technology industry. The global swirl is descriptive of the dynamic way in which Mincom is embracing a field of knowledge that is in a constant state of evolution.

Mincom

CLIENTE

Mincom

BRIEF

Questa azienda, con sede a Brisbane, in Australia, è la principale esportatrice di software del paese e fornisce prodotti e servizi informatici in tutto il mondo. La Mincom cercava una nuova immagine per sé, per riposizionarsi come leader mondiale nel campo della fornitura di software destinato alla gestione d'impresa, alle attività geologiche e minerarie.

SOLUZIONE

Il simbolo bicolore è uno strumento grafico che rappresenta l'innovazione globale nel campo del software e dei prodotti informatici. Le spirali che formano la prima lettera di Mincom, una «M» rossa, ricalcano lo stile del drive di un hard disk, il sinonimo di strumento di memorizzazione nel settore del software e dell'informatica. Il mondo che ruota rappresenta la dinamicità con cui la Mincom opera in un campo di conoscenze in continua evoluzione.

CLIENT

Mincom

CONTEXTE

Cette entreprise, dont le siège est à Brisbane en Australie, est la plus grande société australienne d'exportation de logiciels et fournit des produits et des services informatiques dans le monde entier. Mincom cherchait une nouvelle identité visuelle pour reprendre la place de leader mondial dans la fourniture de logiciels de gestion et de logiciels destinés aux activités géologiques et minéralogiques.

RESULTAT

Le symbole est un outil graphique, à deux couleurs, représentant l'innovation global dans le secteur des logiciels et des produits informatiques. Les spirales formant la première lettre de Mincom, un "M" rouge, reprennent la forme du lecteur de disquettes d'un disque dur, qui est par lui-même synonyme de mémorisation dans le secteur informatique. Le monde en rotation représente le dynamisme avec lequel la société Mincom couvre un domaine connaissance en évolution constante.

Phildar

CLIENT

Phildar

BRIEF

Phildar, an institution in rural France and a well recognised brand distributed through their traditional boutiques, required a more dynamic image. Originally these shops only sold balls of wool, but today Phildar has boutiques selling lingerie and a variety of off-the-peg clothes.

SOLUTION

The symbol of the ball of wool was retained but updated with a new illustration, brighter colours and a more stylish, less standard typography. The complete identity - the symbol, packaging and point-of-sale material - is more modern and better suited to the world of fashion.

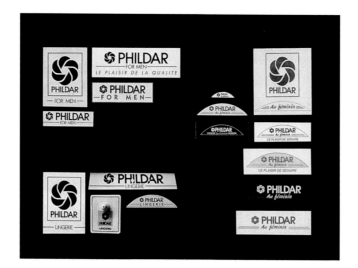

CLIENTE

Phildar

BRIEF

Phildar è un'istituzione nella Francia rurale e una marca molto nota, distribuita nelle tradizionali boutique, ma aveva bisogno di un'immagine più dinamica. In origine i negozi vendevano solo gomitoli e matasse di lana, ma oggi le boutique Phildar vendono anche biancheria e abiti confezionati.

SOLUZIONE

Si è mantenuto il simbolo del gomitolo di lana, ma aggiornandolo con una nuova illustrazione, con colori più brillanti e con una scritta più elaborata, meno standard. L'immagine completa (simbolo, packaging ecc.) è più moderna e più adatta al mondo della moda.

CLIENT

Phildar

CONTEXTE

Institution dans le paysage de la petite distribution française, Phildar, marque omniprésente par l'intermédiaire de ses boutiques traditionnelles souhaitait dynamiser son image. Vendeur exclusif de pelotes de laine à son origine, Phildar possède aujourd'hui des boutiques de prêt-à-porter mixte et de lingerie.

RESULTAT

En conservant le thème de la pelote de laine comme symbole, celle-ci a été modernisée par le biais d'un nouveau dessin, de nouvelles couleurs plus intenses et d'une typographie moins industrielle et plus qualitative. L'image de l'ensemble - signalétique, PLV, packagings - est beaucoup plus moderne et proche de l'univers de la mode.

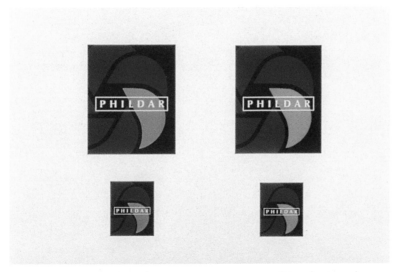

Express Dairies Distribution

CLIENT

Express Dairies plc

BRIEF

To design a new corporate identity for Express Dairies Distribution, a trading company of Express Dairies plc, one of the largest dairy companies in Europe.

SOLUTION

The colours from the old corporate identity are incorporated into the new logotype to achieve a degree of continuity. Dairy products are stored and transported at a temperature of between 0 and 6°C. This is reflected in the new symbol which centres around a 0°, also designed to convey the wheel of the delivery tankers. The speed of distribution is communicated through movement lines which also form the gauge of a thermometer and the colour red indicates a temperature of 5°. This simple design thus conveys both the speed of distribution and the chilled storage conditions.

Express Dairies
Distribution

CLIENTE

Express Dairies plc

BRIEF

Disegnare una nuova immagine coordinata per la Express Dairies Distribution, azienda che prende un nuovo nome in seguito alla ristrutturazione della Northern Dairies Coldstream.

SOLUZIONE

I colori della precedente immagine aziendale sono ripresi nel nuovo logotipo, per dare un senso di continuità col passato. Il latte e i latticini sono conservati e trasportati a una temperatura tra 0 e 6°C. Questo fatto viene comunicato dal nuovo simbolo, che ha al centro uno "0°", che rappresenta anche la ruota di un'autobotte. Il concetto della velocità delle consegne è trasmesso da linee di movimento che formano anche la scala di un termometro, con i 5° evidenziati in rosso. Una soluzione semplice, che esprime l'idea della rapidità della distribuzione e della freschezza dei prodotti.

CLIENT

Express Dairies plc

CONTEXTE

Créer un nouveau système d'identification visuelle pour l'Express Dairies Distribution, une entreprise dont le nom a été changé à la suite de la restructuration de Northern Dairies Coldstream.

RESULTAT

Les couleurs de l'ancien SIV sont reprises dans le nouveau logotype pour donner un sens de continuité avec le passé. Les produits laitiers sont conservés et transportés à une température comprise entre 0 et 6°C et, pour transmettre ce message, le nouveau symbole a été muni au centre d'un "0" qui représente aussi la roue d'un camion-citerne. Le concept de livraison rapide est transmis par des lignes de mouvement qui forment aussi l'échelle d'un thermomètre où les 5° sont valorisés en rouge. Une solution simple, qui exprime la célérité de la distribution et la fraîcheur des produits.

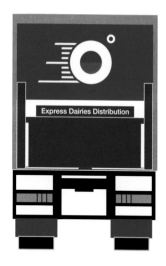

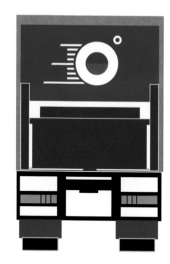

Cyclones

CLIENT

Sports Marketing and Management
Australian Cycling Federation

BRIEF

The Australian National Cycle Racing team is now known as "The Cyclones". Sports Marketing and Management (SMAM), one of Australia's leading sports marketing consultants, wanted a contemporary identity that could relate to the competitive sports market place. The identity had to connect the national team to the Federation as the administrators of the sport.

SOLUTION

The cyclonic 'C' is the inspiration for the design. Cyclone is the Australian name for typhoon or hurricane - the most dangerous of meteorological phenomena. The 'C' is inspired by the speed and fury of the cyclone and its weather map shape. The design also mimics the strong tucked position of a cyclist crossing the finishing line. The name is written in a hasty italic script.

CLIENTE

Sports Marketing and Management
Australian Cycling Federation

BRIEF

La nazionale australiana di ciclismo ha oggi il soprannome di «Cyclones». La Sports Marketing and Management (SMAM) è un'agenzia di marketing australiana, leader nel campo della promozione sportiva, e voleva un'immagine al passo con i tempi e in grado di relazionarsi col mercato altamente competitivo dello sport. Un'immagine che doveva legare la squadra nazionale alla Federazione che gestisce questo settore sportivo.

SOLUZIONE

Il design prende ispirazione da una «C» ciclonica. In Australia si chiamano ciclone tutti i tifoni e gli uragani, i fenomeni atmosferici più devastanti. La «C» rimanda alla velocità e alla furia del ciclone e ricorda le carte meteorologiche. Il disegno ricalca anche la posizione contratta del ciclista in volata. Il nome è scritto in un corsivo frettoloso.

CLIENT

Sports Marketing and Management
Australian Cycling Federation

CONTEXTE

L'équipe australienne de cyclisme est aujourd'hui notoirement connu comme "The Cyclones". L'agence Sports Marketing and Management (SMAM), une des plus importantes sociétés de marketing australiennes, leader dans le domaine de la promotion des sports, voulait une identité visuelle contemporaine capable de se rapporter avec le marché compétitif du sport. Une image qui devait lier l'équipe nationale de cyclisme à sa fédération.

RESULTAT

Le dessin s'inspire de la lettre "C", le symbole des cyclones sur les cartes météo. En Australie, le mot cyclone est utilisé pour désigner les typhons et les ouragans, les phénomènes atmosphériques les plus dévastateurs. Le "C" renvoie à la vitesse et à la furie du cyclone et rappelle les cartes météo. Le dessin reproduit aussi la position contractée du cycliste au sprint. Le nom semble écrit précipitamment en caractères italiques.

Baiser Sauvage

CLIENT

Baiser Sauvage

BRIEF

To create concepts for a shop designed to exploit the opportunities of the rapidly expanding lingerie market, distinguishing itself from the competition by responding specifically to the expectations of the target market.

SOLUTION

Complicity, sensuality and exoticism were the principle values behind the choice of the name ('wild kiss'), the logotype, the packaging and the shop design, creating a concept consistent with the lifestyle and personality of the 'new' woman. Lingerie and makeup are cleverly displayed alongside comfortable changing areas.

CLIENTE

Baiser Sauvage

BRIEF

Creare i concetti per un negozio, destinato a sfruttare le opportunità di un mercato della lingerie in rapida espansione, che si distingua da quelli della concorrenza rispondendo in modo specifico alle aspettative del target di mercato.

SOLUZIONE

Complicità, sensualità, esotismo sono i valori principali sottesi alla scelta del nome («Bacio Selvaggio»), al marchio, al packaging e allo shop design, affermando un concetto in sintonia con lo stile di vita e con la personalità della donna «nuova». La lingerie e i prodotti per il makeup sono esposti in modo intelligente, a fianco dei comodi camerini di prova.

CLIENT

Baiser Sauvage

CONTEXTE

Il s'agissait de créer un nouveau concept de magasin exploitant les opportunités d'un marché en forte expansion: la lingerie féminine, en se distinguant de la concurrence par un concept nouveau répondant aux attentes d'un public ciblé.

RESULTAT

Complicité, sensualité et exotisme ont été les valeurs fondatrices du choix d'un nom, d'un logotype, de packaging et d'architecture des magasins, cohérents avec le style de vie et la personalité des femmes séductrices. Lingerie feminine et maquillage sont présentés de façon qualitative auprès de zones d'essayage confortables.

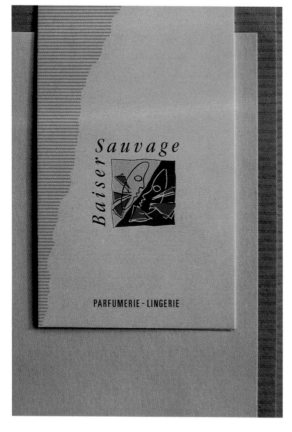

Australian Commonwealth Games Team

CLIENT

Australian Commonwealth Games Association

BRIEF

The Australian Commonwealth Games Association wanted a new dynamic symbol for the Australian Team competing at the XVI Commonwealth Games in Kuala Lumpur - 1998.

SOLUTION

The Big Blue Roo is a derivative of the Australian Commonwealth Games Association's badge - but bounding forward - the abstract form representing land and water based sports. The Federation star represents its quest for gold. The symbol which also could represent two gum leaves, forms a bounding kangaroo, a unique athlete and powerful animal, familiar in the Australian cultural heritage.

CLIENTE

Australian Commonwealth Games Association

BRIEF

L'associazione australiana per i Giochi del Commonwealth voleva un nuovo simbolo, più dinamico, per la squadra nazionale che partecipa ai XVI Giochi del Commonwealth di Kuala Lumpur - 1998.

SOLUZIONE

Il Big Blue Roo - il grande canguro azzurro - è ricavato dal distintivo dell'Associazione, ma viene colto nella posizione di salto. La forma astratta rappresenta gli sport che si praticano sulla terra e in acqua. La stella della Federazione rimanda alla conquista dell'oro olimpico. Il simbolo, che può anche ricordare due foglie di eucalyptus australiano, rappresenta un canguro che salta, un'animale eccezionale, capace di straordinarie prestazioni, spesso presente nella tradizione culturale dell'Australia.

CLIENT

Australian Commonwealth Games Association

CONTEXTE

L'association australienne pour les jeux du Commonwealth désirait un symbole plus dynamique pour l'équipe nationale qui participe aux XVIe jeux du Commonwealth à Kuala Lumper - 1998

RESULTAT

Le Big Blue Roo, le grand kangourou bleu symbole de l'association, a été conservé mais à présent il est dessiné à l'instant même où il saute. La forme abstraite représente les sports de terre et d'eau. L'étoile de la Fédération renvoie à la conquête de l'or. Le symbole, qui peut aussi rappeler deux feuilles d'eucalyptus australien, représente un kangourou en train de sauter, un animal exceptionnel aux performances extraordinaires qui comparaît souvent dans la tradition culturelle australienne.

Commonwealth Games

Fondation pour la Solidarité entre Générations

CLIENT

UAP/Fondation pour la Solidarité entre
Générations

BRIEF

UAP, a European insurance company, wanted an
identity for a foundation they have established to
encourage opportunities for the young and old to mix.

SOLUTION

The proposed graphic solutions sought to illustrate the
direct links between men and women whatever their
age and the benefits which result in such meetings. The
chosen design was the hand with its five fingers, all
different yet dependent on a common mechanism in
order to function.

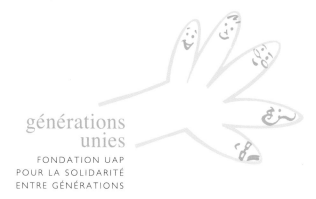

générations
unies

FONDATION UAP
POUR LA SOLIDARITÉ
ENTRE GÉNÉRATIONS

CLIENTE

UAP/Fondation pour la Solidarité
entre Générations

BRIEF

La UAP, una compagnia d'assicurazione europea,
voleva un'immagine per la fondazione creata per
incoraggiare le opportunità d'incontro tra giovani e
anziani.

SOLUZIONE

Le soluzioni grafiche proposte miravano a illustrare le
relazioni dirette tra uomini e donne di qualsiasi età e i
vantaggi che derivano da tali incontri. La soluzione
scelta é illustrata da una mano con le cinque dita,
tutte diverse tra loro, ma che per muoversi dipendono
l'una dall'altra.

CLIENT

UAP/Fondation pour la Solidarité entre
Générations

CONTEXTE

L'UAP, assureur européen, souhaitait une identité pour
sa fondation dont le but était de favoriser les
opportunités de rencontres entre des jeunes et des
personnes âgées.

RESULTAT

Les solutions proposées cherchaient à montrer
graphiquement le lien étroit qui uni ces hommes et ces
femmes et les bénéfices résultant de leurs rencontres,
et ce, malgré leur différence d'âge. La solution choisie
était la main et ses cinq doigts, tous différents et
pourtant liés dans leur fonctionnement par un organe
commun moteur.

PGA Tour

CLIENT

Sports Marketing and Management

BRIEF

To design a new identity for the PGA golfing tour.

SOLUTION

The new logo reflects the energy, vitality and prosperity of the event's organisers. It is circular to indicate the travelling nature of the tour, while the five stars represent the Southern Cross.

CLIENTE

Sports Marketing and Management

BRIEF

Realizzare una nuova immagine per il torneo di golf PGA.

SOLUZIONE

Il nuovo marchio riflette le caratteristiche di energia, vitalità e prosperità, secondo le intenzioni degli organizzatori della manifestazione. La forma circolare indica la natura di circuito del torneo, mentre le cinque stelle rappresentano la Croce del Sud.

CLIENT

Sports Marketing and Management

CONTEXTE

Dessiner un nouveau logotype pour le tournoi de golf PGA.

RESULTAT

Le nouveau logo reflète l'énergie, la vitalité et la prospérité des organisateurs de cet évènement. La forme circulaire indique la nature itinérante du circuit et les cinq étoiles représentent la Croix du Sud.

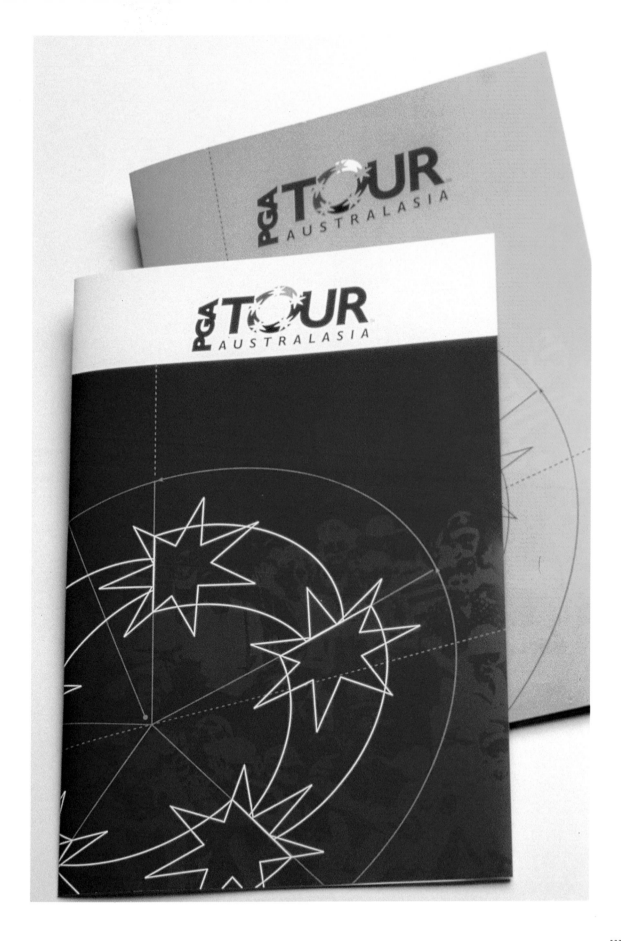

The Wallabies

CLIENT
Australian Rugby Union

BRIEF

To design a new logo for Australia's National Rugby
Union Team, The Wallabies, to replace the traditional
badge which was complex and not easily seen on
television.

SOLUTION

The new logo is a simpler design that is suitable for
embroidery and contemporary merchandise. The
simple line drawing of a wallaby clutching a ball
captures the power and determination of the players.

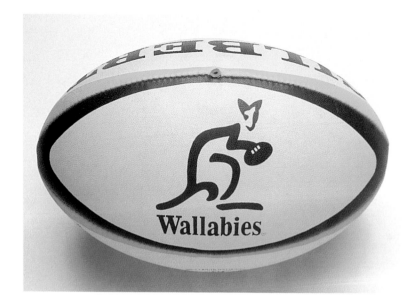

CLIENTE

Australian Rugby Union

BRIEF

Disegnare un nuovo marchio per la squadra
nazionale di rugby australiana, i Wallabies, al posto
dello stemma tradizionale che era troppo complicato
e difficile da leggere in televisione.

SOLUZIONE

Il nuovo marchio ha un disegno meno complesso, che
può essere ricamato e si adatta ai materiali odierni.
Il semplice disegno al tratto del canguro che afferra
la palla esprime appieno la forza e la
determinazione degli atleti.

CLIENT

Australian Rugby Union

CONTEXTE

Dessiner un nouveau logotype pour l'équipe nationale
australienne de rugby, les Wallabies, à la place des
armes traditionnelles qui était trop compliquées et
difficiles à voir à la télévision.

RESULTAT

Le dessin du nouveau logo est plus simple, il peut être
brodé et s'applique bien aux matières actuelles. Le
dessin au trait du kangourou saisissant la balle exprime
pleinement la force et la détermination des athlètes.

PACKAGING DESIGN

Good packaging is essential to the success of a product in a
market place where a proliferation of similar products exists. It
can make a product stand out from its competitors and reap
higher rewards than advertising.

Una bella confezione è essenziale per il successo di un
prodotto, in un mercato che vede la proliferazione di articoli
pressoché uguali. Il packaging è quello che fa spiccare un
prodotto tra la concorrenza, con un ritorno ancor maggiore
della pubblicità.

Un bel emballage est essentiel au succès d'un produit introduit
sur un marché déjà rempli de produits similaires. C'est grâce
au packaging qu'un produit se distingue de ses concurrents sur
le linéaire et celui-ci détermine le choix du consommateur plus
que la publicité.

CHAPTER TWO

Contents

D — Design proposals which contributed to the chosen design.

Proposte servite per la scelta di una soluzione.

Propositions de design ayant conduit à la solution choisie.

B — The design before alterations made by Minale Tattersfield.

Design prima dell'intervento di Minale Tattersfield.

Design avant l'intervention de Minale Tattersfield.

Exté

CLIENT

Exté

BRIEF

To design a unique pack suitable for both men's and ladies' underwear for Exté, a young Italian fashion house.

SOLUTION

The first design is a simple, lightweight pack with clean modern lines and a curved top which reflects the shape of the body. In the second design the underwear is packed in a box, the front of which has small slotted windows lined with semi-transparent parchment paper. This protects the garment but still enables the colour to be seen. The third design is an innovative pack where the underwear is vacuum packed and the logo embossed in a metallic silver on the lid. This peels off to reveal the underwear which sits in a small transparent tray.

CLIENTE

Exté

BRIEF

Realizzare una confezione originale utilizzabile per la biancheria intima sia da uomo che da donna per Exté, una giovane casa di moda italiana.

SOLUZIONE

La prima soluzione è una confezione semplice e leggera, con linee pulite e moderne, e una parte superiore ricurva che richiama la forma del corpo. Nella seconda soluzione, la biancheria è confezionata in una scatola che ha sul davanti delle finestrelle a fessura con un involucro semitrasparente. Gli indumenti restano così protetti mentre se ne può vedere il colore. La terza soluzione è di una confezione innovativa: la biancheria resta sotto vuoto e il marchio è impresso sul cartone color argento del coperchio. Tirandolo via si scopre l'indumento che poggia su una vaschetta trasparente.

CLIENT

Exté

CONTEXTE

Réaliser un emballage original, utilisable aussi bien pour la lingerie masculine que féminine, pour Exté, une jeune maison de mode italienne.

RESULTAT

La première solution est un emballage simple et léger, aux lignes nettes et modernes, dont la partie supérieure cintrée rappelle la forme du corps. Dans la deuxième solution proposée, la lingerie est emballée dans une boîte ayant sur le devant de fines ouvertures fermées par un papier semi-transparent. L'emballage laisse ainsi voir la couleur du sous-vêtement tout en le protégeant. La troisième solution est un emballage innovateur: le sous-vêtement reste sous vide et le logotype est estampé sur une pièce métallique appliquée sur le couvercle. Quand on le tire, on aperçoit le sous-vêtement posé sur une coupe transparente.

Vanetta Yoghurt

CLIENT

Stuffer

BRIEF

To design 40 new packs for Vanetta, the 'no-frills' discount dairy brand from Stuffer.

SOLUTION

All packs use the Vanetta identity previously developed by Minale Tattersfield, but each product range has a slightly different interpretation. This streamlines production costs and adds an element of sub-branding to the different ranges.

CLIENTE

Stuffer

BRIEF

Progettare 40 nuove confezioni per Vanetta, un marchio base di prodotti caseari del gruppo Stuffer destinati al mercato discount.

SOLUZIONE

Tutte le confezioni utilizzano gli elementi dell'immagine coordinata realizzata da Minale Tattersfield, ma ogni singola gamma ha un'interpretazione leggermente diversa. In questo modo si snelliscono i costi di produzione e si aggiunge un elemento distintivo per le diverse gamme di prodotto.

CLIENT

Stuffer

CONTEXTE

Dessiner 40 nouveaux emballages pour Vanetta, une marque "sans ornement" de produits laitiers du groupe Stuffer, destinés au marché discount.

RESULTAT

Tous les emballages portent l'image Vanetta, créée précédemment par Minale Tattersfield, mais chaque gamme est interprétée de manière légèrement différente. Ceci permet de limiter les coûts de production tout en réservant à chaque gamme de produits son propre signe identitaire.

M150

CLIENT

Osotspa, Thailand

BRIEF

To target the Thai and Asian youth with more dynamic packaging whilst not alienating the existing market of the more traditional sector of the population.

SOLUTION

The name of this high octane energy drink was originally derived from the 150ml medicine style bottle in which it was sold. To give the name more relevance to the product, a strapline was added, ''Energise at 150 mph''. The original star was retained but modernised and an electric shockwave introduced, visualising the high energy content and suggesting an element of danger.

CLIENTE

Osotspa, Thailandia

BRIEF

Creare un packaging più dinamico, rivolto al mercato giovanile della Thailandia e dell'Asia in generale, senza alienarsi con il mercato tradizionale già esistente tradizionali della popolazione.

SOLUZIONE

Il nome di questa bevanda molto energetica derivava dal fattoche in origine era venduta in una bottiglia da 150 ml simile a quelle per medicinali. Per mettere meglio in relazione il nome e il prodotto, si è aggiunta una striscia con la scritta «Energise at 150 mph» (Dà energia a 150 miglia all'ora). Si è mantenuta la stella presente nell'originale, ma adattandola ai gusti attuali con l'immagine di una scarica elettrica per esprimere visualmente l'elevato contenuto energetico.

CLIENT

Osotspa, Thaïlande

CONTEXTE

Créer un packaging plus dynamique s'adressant aux jeunes de Thaïlande et d'Asie en général, sans pour autant s'aliéner le marché préexistant de secteurs plus traditionnels de la population .

RESULTAT

Le nom de cette boisson très énergétique dérive du fait qu'elle était vendue à l'origine dans des bouteilles de 150 ml semblables à celles utilisées pour les médicaments. Pour renforcer le lien entre le nom et le produit, une bande avec l'inscription ''Energise at 150 mph'' (De l'énergie à 150 miles à l'heure) a été ajoutée. L'étoile présente dans la version d'origine a été conservée mais réactualisée et on a introduit l'image d'une décharge électrique pour exprimer visuellement le haut contenu énergétique.

Lanza

CLIENT

Miralanza, Prague

BRIEF

To update the packaging for Lanza washing powder whilst retaining the already powerful branding.

SOLUTION

Key brand elements associated with Lanza washing powder were retained and emphasised. The brand name was placed on a slant to make it more dynamic. The iridescent white star behind the writing not only highlights the brand but graphically translates the cleaning properties and expresses the superiority of the product. The spiral of colours clearly identifies the powder for use on coloured fabrics.

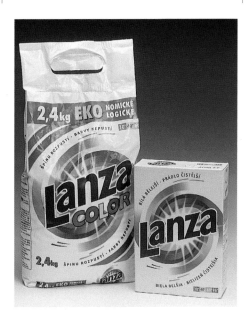

CLIENTE

Miralanza, Praga

BRIEF

Modernizzare il packaging per il detersivo in polvere Lanza, pur conservando il suo marchio già molto efficace.

SOLUZIONE

Si conservano e si mettono in maggiore evidenza gli elementi chiave del marchio Lanza. Il nome della marca è posto obliquamente, così da renderlo più dinamico. La stella bianca iridescente dietro alla scritta non solo mette in maggiore evidenza la marca, ma traduce graficamente le qualità del detersivo e ne esprime la superiorità. La spirale dei colori indica con chiarezza che il detersivo si può usare con i tessuti colorati.

CLIENT

Miralanza, Prague

CONTEXTE

Réactualiser le packaging de la lessive Lanza, tout en conservant son bloc-marque déjà très efficace.

RESULTAT

Les éléments clés de l'image Lanza sont conservés et valorisés. Le nom de la marque est placé en biais pour le rendre plus dynamique. L'étoile blanche iridescente derrière l'inscription, non seulement met la marque en valeur mais encore traduit graphiquement les qualités de nettoyage du produit et exprime sa supériorité. La spirale de couleurs indique clairement que cette lessive peut aussi servir à laver les tissus de couleur.

Il Meloncino

CLIENT

Stuffer

BRIEF

To design the packaging for a range of ready cooked meals.

SOLUTION

A general brand identity is created with an illustration of a table in front of an open window and the brand name written on a canopy above. It suggests a high quality of food, similar to that served in a restaurant. The photos have a strong pack presence designed to catch the eye, except for the pizzas which are presented in clear packs.

CLIENTE

Stuffer

BRIEF

Progettare il packaging di una linea di alimenti precotti.

SOLUZIONE

Si è realizzata un'immagine complessiva per il marchio, con la figura di un tavolino apparecchiato davanti a una finestra aperta e col nome della marca scritto sulla tenda soprastante. Tale immagine suggerisce l'idea di alimenti di ottima qualità, pari a quella che si trova al ristorante. Le foto hanno una forte presenza sulla confezione e sono studiate per colpire la vista, con l'eccezione delle pizze che sono presentate in confezioni trasparenti.

CLIENT

Stuffer

CONTEXTE

Créer le packaging pour une gamme de plats prêts à cuir

RESULTAT

L'image de marque est représentée par une table préparée devant une fenêtre ouverte, avec le nom de la marque écrit sur le rideau situé au-dessus. Cette image suggère l'idée de plats excellents, comme on vous en sert au restaurant. Dans ces emballages, les photos ont un impact fort afin de capturer le regard, exception faite pour les pizzas qui sont présentées dans des emballages transparents.

Manzotin

CLIENT

Trinity Alimentari
Italia Spa

BRIEF

To update the branding and redesign the packaging
for a range of tinned beef.

SOLUTION

Although the second biggest selling brand of tinned beef
in Italy, the branding had become outdated and the
packaging, which had not been redesigned for a decade,
was in need of reinvention. On the new pack, an
illustration of cows and fields was included. The logotype
was changed from blue to green to reflect green pastures
and natural ingredients. A drop shadow was then added
to give it more character.

CLIENTE

Trinity Alimentari
Italia Spa

BRIEF

Aggiornare il marchio e ridisegnare il packaging per una
linea di carni in scatola.

SOLUZIONE

Anche se si tratta del numero due per vendite in Italia, il
marchio Manzotin risultava invecchiato e la confezione,
che non è stata modificata da dieci anni, richiedeva
qualche invenzione originale. Sulla nuova confezione si è
inserita un'immagine di mucche al pascolo. La scritta ha
cambiato colore, dal blu al verde, per richiamare l'idea
di pascoli verdi e di ingredienti naturali. Si è poi
aggiunta un'ombra calante per meglio caratterizzarla.

CLIENT

Trinity Alimentari
Italia Spa

CONTEXTE

Remettre au goût du jour le bloc-marque et redessiner le
packaging pour une gamme de corned beef.

RESULTAT

Même si elle occupe la deuxième place sur le marché
du corned beef en Italie, la marque Manzotin était
désormais désuète, et son emballage, qui n'a pas
changé depuis dix ans, exigeait une remise à jour. Le
nouvel emballage comprend l'image de vaches au
pâturage. Le logotype est passé du bleu au vert, pour
évoquer l'idée de prairies et d'ingrédients naturels. Une
ombre allongée au soleil couchant a ensuite été ajoutée
pour lui donner plus de caractère.

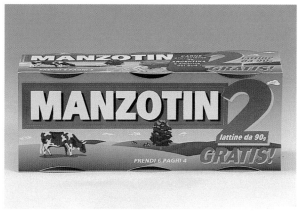

Gancia

CLIENT

Gancia

BRIEF

To redesign the leading Italian brand range of
Asti Spumante wines.

SOLUTION

The design is simple and classic, fitting for
sophisticated Italian wines. Il Castello, the top of
the range brut d'oro, has a black label and neck
to reflect the rich, fruity flavour of the wine.

CLIENTE

Gancia

BRIEF

Ridisegnare il brand per la principale marca di
Asti spumante.

SOLUZIONE

Il design è semplice e classico e ben si adatta
alla raffinatezza dei vini italiani di pregio. Il
Castello, lo spumante brut d'or, ai vertici della
gamma, ha l'etichetta e il collo neri, che evocano
il gusto ricco e fruttato del vino.

CLIENT

Gancia

CONTEXTE

Redessiner l'image de la principale marque de
vins mousseux d'Asti.

RESULTAT

Le dessin, simple et classique, s'adapte très bien
au raffinement des vins italiens de qualité. Le
Castello, le haut de gamme des mousseux brut
d'or, a une étiquette et un col noirs, évoquant le
goût riche et fruité du vin.

Nescafé Red Cup

CLIENT

Nestlé

BRIEF

To create a pack which would educate young Italians about the advantages of instant coffee and help place the brand as a new and exciting way to enjoy coffee. The new pack had to present a quite different type of drink to capture the imagination of the target market.

SOLUTION

On the pack the two cups are placed angled towards each other suggesting conversation and radiating a warm inviting glow. The image projected is of a longer lasting and more sociable drink. The red mugs not only reiterate the name but create a strong shelf impact. The strong branding of Nescafé is maintained across the top of the pack, but the words Red Cup are written as a signature note giving it a more personal touch. The pack guarantees perfect closure of the sealed edges, ensuring an effective barrier against moisture and has a low environmental impact due to its reduced weight - eight times less than the previous packaging.

CLIENTE

Nestlé

BRIEF

Creare una confezione che faccia conoscere alle fasce giovanili dei consumatori italiani i vantaggi del caffè solubile e che posizioni il marchio come quello di un caffè da gustare in un modo nuovo e gradevole. I produttori di caffè solubile non sono riusciti a penetrare in modo stabile in questo mercato. La nuova confezione doveva presentare un tipo di bevanda del tutto diverso, in grado di stimolare la fantasia del target di mercato.

SOLUZIONE

Sulla scatola le due tazze s'inclinano una verso l'altra ed evocano una conversazione intima, irradiando un bagliore caldo e invitante. L'immagine che ne emerge è quella di una bevanda da gustare con la massima calma e che invita a socializzare. La confezione assicura di per sé una tenuta perfetta grazie ai bordi sigillati, che offrono una barriera efficace all'umidità, e ha un limitato impatto ambientale per il peso ridotto di otto volte rispetto a quello della confezione precedente.

CLIENT

Nestlé

CONTEXTE

Concevoir un emballage qui informe les jeunes consommateurs italiens sur les avantages du café soluble instantané, et contribue à situer la marque comme une manière nouvelle et excitante d'apprécier le café. Les producteurs de café soluble n'ont pas réussi à pénétrer ce marché de façon résolue. Le nouvel emballage devait présenter une boisson tout à fait différente, capable de stimuler la fantaisie de la cible.

RESULTAT

Sur l'emballage, les deux tasses se penchent l'une vers l'autre comme pour évoquer une conversation intime d'où rayonne une lueur chaude et invitante. L'image transmise est celle d'une boisson à déguster dans un moment de relax et en compagnie. L'emballage lui-même est parfaitement étanche grâce à ses bords cachetés qui constituent une barrière efficace contre l'humidité. Son impact écologique est limité car il pèse huit fois moins lourdque l'emballage précédent.

Milkjugs

CLIENT

Express Dairies plc

BRIEF

To design an innovative pack to boost sales in an industry hard hit by changing consumer demand.

SOLUTION

This distinctive striped, jug-like container for milk can be taken straight from the fridge to the table. An elegant design, it is easy to pour and due to its triangular shape stacks efficiently. The bold stripes maximise the pack's shelf impact.

D ....

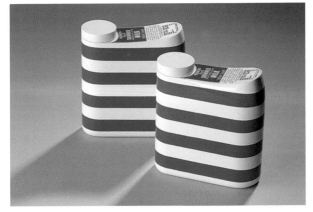

CLIENTE

Express Dairies plc

BRIEF

Progettare una confezione innovativa per stimolare le vendite in un settore duramente colpito dal cambiamento della domanda dei consumatori.

SOLUZIONE

Questo caratteristico contenitore striato a forma di caraffa per il latte può essere trasferito direttamente dal frigo alla tavola. Un design elegante che rende il latte facile da versare e, grazie alla forma triangolare, si impila comodamente. Le strisce a vivaci colori esaltano la visibilità della confezione.

CLIENT

Express Dairies plc

CONTEXTE

Créer un emballage innovateur pour stimuler les ventes d'un secteur très touché par le changement de la demande des consommateurs.

RESULTAT

Cet emballage à rayures en forme de pot au lait peut passer directement du frigo à la table. Son design est élégant, la crème est facile à verser, et sa forme triangulaire permet de l'empiler aisément. Les rayures aux couleurs vives exaltent la visibilité de l'emballage.

FOLD BACK TO HERE FOR POURING

MILKJUG
®

FRESH SKIMMED MILK
PASTEURISED

STORAGE
Store refrigerated below 8°C. Also suitable for home freezing. Use within one month. Allow to defrost in a cool room or in a refrigerator until the ice crystals have defrosted.

UK
See Code Panel
EEC

REFUND Safeway brand products are double guaranteed.
&
REPLACE If you are not totally satisfied with any item, please return it to a Safeway store for a refund and a replacement. This does not affect your statutory rights.

NUTRITIONAL INFORMATION	
Typical Values	Per 100ml
Energy	146kJ(49kcal)
Protein	3.4g
Carbohydrate	5.0g
of which sugars	5.0g
starch	0g
Fat	1.7g
of which saturates	Trace
mono-saturates	Trace
polyunsaturates	Trace
Fibre	0g
Sodium	Trace
Vitamins & Minerals	
Vitamin B 12	0.4ug (40% of RDA)
Calcium	124mg (15.5% of RDA)

RDA = Recommended Daily Allowance
Acceptable for gluten free and vegetarian diets

500 ml
e

Packed in the UK for Safeway, 6 Millington Road, Hayes, Middlesex, UB3 4AY

Store refrigerated below 8°C

FOLD BACK

MIL

FRESH SEMI
PAS

STORAGE
Store refrigerated below 8°C. Also suitable for home freezing. Use within one month. Allow to defrost in a cool room or in a refrigerator until the ice crystals have defrosted.

UK
See Code Panel
EEC

REFUND Safeway brand products are double guaranteed.
&
REPLACE If you are not totally satisfied with any item, please return it to a Safeway store for a refund and a replacement. This does not affect your statutory rights.

gton Road, Hayes, Middlesex, UB3 4AY

Store re

SED

IONAL INFORMATION

	Per 100ml
	204kJ(49kcal)
	3.4g
	5.0g
h sugars	5.0g
	0g
	1.7g
h saturates	1.0g
saturates	0.5g
saturates	Trace
	0g
	Trace
erals	
	0.4ug (40% of RDA)
	124mg (15.5% of RDA)

nded Daily Allowance
gluten free and vegetarian diets

low 8°C

Packed in the UK for Saf

MMED MILK

500 ml
e

FRESH MILK
PASTEURISED

500 ml
e

STORAGE
Store refrigerated below 8°C.

UK
See Code Panel
EEC

REFUND Safeway brand products are double guaranteed. **REPLACE** If you are not totally satisfied with any item, please return it to a Safeway store for a refund and a replacement. This does not affect your statutory rights.

NUTRITIONAL INFORMATION

Typical Values	Per 100ml
Energy	284kJ(68kcal)
Protein	3.2g
Carbohydrate	4.7g
of which sugars	4.7g
starch	0g
Fat	4.0g
of which saturates	2.5g
mono-saturates	1.1g
polyunsaturates	Trace
Fibre	0g
Sodium	Trace
Vitamins & Minerals	
Vitamin B 12	0.4ug (40% of RDA)
Calcium	119mg (15.5% of RDA)

RDA = Recommended Daily Allowance
Acceptable for gluten free and vegetarian diets

Packed in the UK for Safeway, 6 Millington Road, Hayes, Middlesex, UB3 4AY

Store refrigerated below 8° C

Amouret	

CLIENT

Stuffer

BRIEF

To redesign the packaging for Amourette yoghurts.

SOLUTION

To give the brand more impact it was decided to shorten the name to Amouret. The logo in the red, blue and green traditionally associated with dairy products is highlighted on a milky white background. The blue heart, derived from the brand name, suggests the product's goodness. Blue was specifically chosen firstly for the health associations, but also to avoid any connotations of love. The green sweep underlines the brand name but also evokes the image of rolling countryside and the product's natural goodness.

CLIENTE

Stuffer

BRIEF

Riprogettare il packaging degli yogurt Amourette.

SOLUZIONE

Per conferire un maggiore impatto al marchio, si è deciso di accorciare il nome da Amourette a Amouret. Il logo rosso, azzurro e verde, tradizionalmente associato ai prodotti caseari, viene messo in risalto dallo sfondo color bianco latte. Il cuore azzurro, ricavato dal nome del marchio, evoca la bontà del prodotto. La linea curva verde sottolinea il nome della marca, ma evoca anche l'immagine di una campagna ondulata e della bontà naturale del prodotto.

CLIENT

Stuffer

CONTEXTE

Redessiner le packaging des yaourts Amourette.

RESULTAT

Pour renforcer l'impact de la marque, le nom a été raccourci: Amourette se réduit à présent à Amouret. Le logo rouge, bleu ciel et vert, des couleurs traditionnellement associées à des produits laitiers, est mis en relief par le fond blanc laiteux. Le coeur bleu ciel, réalisé à partir de la marque, évoque la bonté du produit. La ligne courbe de couleur verte souligne le nom de la marque, mais évoque aussi l'image de collines et la bonté naturelle du produit.

Shark

CLIENT

Osotspa, Thailand

BRIEF

To reinvent the existing brand identity to enable this high octane energy drink to be marketed outside Thailand, aimed particularly at the hip global youth.

SOLUTION

Sold in a small medicine bottle-like container, Shark had previously been the preserve of the Thai labourer and did not have the makings of strong, globally successful packaging designed to attract the young and healthy adolescent. The final solution was a shark pictogram which has the obvious advantage of incorporating both the name and the image in one device, ensuring the brand is always recognisable, regardless of local language or lettering.

D

CLIENTE

Osotspa, Tailandia

BRIEF

Reinventare l'immagine esistente del marchio, per far sì che questa bevanda ultraenergetica sia commercializzata anche fuori della Thailandia, avendo come target soprattutto le fasce giovanili.

SOLUZIONE

Venduto un una bottiglietta simile a quella dei medicinali, Shark era prima la bevanda tipica degli operai tailandesi e non aveva le caratteristiche forti di un packaging valido per tutto il mondo, studiato per attrarre i giovani e gli adolescenti. La soluzione finale è consistita nel pittogramma di uno squalo, che ha l'evidente vantaggio di condensare in un unico mezzo il nome e l'immagine, facendo sì che il marchio sia sempre riconoscibile, qualunque siano la lingua e l'alfabeto usati.

CLIENT

Osotspa, Thaïlande

CONTEXTE

Réinventer l'image de marque de cette boisson ultraénergétique pour qu'elle puisse être commercialisée en dehors de frontières thaïlandaises, notamment auprès des jeunes.

RESULTAT

Vendue auparavant dans une petite bouteille qui ressemblait à celles des médicaments, Shark était réservée aux ouvriers thaïlandais. Son emballage n'avait pas un fort signe identitaire, ni avait été conçu pour attirer l'attention des jeunes et des adolescents du monde entier. La solution finale est le pictogramme d'un requin qui a l'avantage de condenser le nom et l'image dans une seule figure et garantit la reconnaissance de la marque, quelque soit la langue et les caractères utilisés.

It's not how big the BITE is in the fight, but how big is the fight in the BITE!

SHARK ENERGY DRINK

WHITE SHARK

© Virgin Airship & Balloon Co. 1997

Borotalco

CLIENT

Manetti & Roberts

BRIEF

To modernise the packaging for the famous Borotalco range of skin products.

SOLUTION

Borotalco is a household name in Italy and care was taken that, while updating the presentation, the essence of this well recognised brand was not lost. Key elements were retained, such as the green and gold colours and the red logo, which have a timeless feeling of quality and are recognised by existing customers. The image of mother and child, present on the pack since the brand first began, was eliminated and the logo turned on its side to give a more modern feel.

CLIENTE

Manetti & Roberts

BRIEF

Rimodernare il packaging della celebre gamma di articoli per la pelle Borotalco.

SOLUZIONE

Borotalco è un nome familiare in Italia e si è stati bene attenti a evitare che, aggiornando la presentazione, non andasse persa la sostanza di questo brand ben consolidato. Si sono conservati gli elementi chiave, come i colori verde e oro e la scritta rossa, che esprimono un senso di qualità fuori del tempo e sono bene accettati dalla clientela attuale. L'immagine della madre col bambino, presente fin dall'inizio sulla confezione, è stata eliminata, e la scritta è stata girata di lato per dare un tratto di maggiore modernità.

CLIENT

Manetti & Roberts

CONTEXTE

Réactualiser le packaging de la célèbre marque de produits de soin pour la peau, Borotalco.

RESULTAT

Borotalco est un nom familier en Italie et, lors de cette réactualisation, on a fait très attention de ne pas perdre l'essence de cette identité déjà très connue. On a conservé les éléments clés, comme les couleurs, verte et or, et l'inscription rouge, qui expriment un sens de qualité hors temps et sont bien acceptées par la clientèle actuelle. L'image de la mère avec son enfant, présente depuis le début sur l'emballage, a été éliminée, et l'inscription a été déplacée sur le côté pour donner une idée plus moderne.

Baci

CLIENT

Baci Perugina

BRIEF

Italian chocolate manufacturer, Baci Perugina, is famous for the love messages enclosed with their chocolates. Minale Tattersfield was appointed to redesign the graphics for a gift pack or presentation pack intended for use on more formal occasions.

SOLUTION

Printed on a transparent wrap encasing a blue perspex pack, the design gives the impression of peering out through a frosted window to a starry sky outside. The use of silver for the stars and the stylised image of a couple kissing create a distinguished pack suitable for presentation at formal occasions.

CLIENTE

Baci Perugina

BRIEF

L'azienda produttrice dei Baci, la Perugina, è famosa per i messaggi d'amore inseriti in ogni cioccolatino. Minale Tattersfield aveva ricevuto l'incarico di ridisegnare la grafica per un regalo elegante o per le occasioni più formali.

SOLUZIONE

Stampato sopra un involucro trasparente che avvolge una confezione di perspex blu, il design dà l'impressione di affacciarsi da una finestra coperta di ghiaccio che dà su di un cielo stellato. L'impiego dell'argento per le stelle e l'immagine stilizzata di due amanti che si baciano crea una confezione raffinata da presentare in un'occasione formale.

CLIENT

Baci Perugina

CONTEXTE

Le fabricant de chocolat italien, Baci Perugina, est célèbre pour les messages d'amour contenus dans chacun de ses chocolats. Minale Tattersfield avait été chargé de réaliser le dessin d'un paquet cadeau ou de présentation destiné à des occasions plus formelles.

RESULTAT

Imprimé sur papier transparent enveloppant un emballage en perspex bleu, le dessin donne l'impression d'apparaître à une fenêtre givrée donnant sur un ciel étoilé. Les étoiles argentées et l'image stylisée des deux amants qui s'embrassent créent un emballage adapté à une présentation pour des occasions formelles.

16 Deliziosi Cioccolatini con Nocciola **228**g℮

Splendid Coffee

CLIENT

Kraft Jacob Suchard

BRIEF

Currently the second biggest coffee brand in Italy after Lavazza, Splendid wanted to update its brand identity to increase its market share and to launch onto the European market.

SOLUTION

This involved a new logotype and strong colour-coding for the range which is made up of seven different flavours. For example, on the Aroma D'Oro pack, a strong flavoured coffee from South America, the colours black and gold dominate, reflecting both the strength of the coffee and the gold of the Aztecs. The 'S' of Splendid is duplicated in the swirling liquid and the steam rising from the cup visualises the delicious coffee aroma.

CLIENTE

Kraft Jacob Suchard

BRIEF

Splendid, attualmente la seconda marca di caffè in Italia dopo Lavazza, voleva rendere più moderna la propria immagine per ampliare la propria quota di mercato e lanciarsi sul mercato europeo.

SOLUZIONE

Tutto ciò imponeva un nuovo logo e un'efficace codifica a colori della gamma di miscele, che comprende sette diversi gusti. Per esempio, sul pacco Aroma d'Oro, una miscela sudamericana dal gusto forte, predominano il nero e l'oro, per rispecchiare sia la forza del caffè sia l'oro degli Atzechi. La «S» di Splendid si raddoppia nel liquido gorgogliante e il vapore che sale dalla tazzina ne visualizza il delizioso aroma.

CLIENT

Kraft Jacob Suchard

CONTEXTE

Splendid, la seconde marque de café en Italie après Lavazza, voulait réactualiser son image de marque pour agrandir sa propre part de marché et se lancer sur le marché européen.

RESULTAT

Tout ceci impliquait la création d'un nouveau logo et une forte codification en couleurs pour identifier les sept goûts de toute la gamme. Par exemple, sur le paquet de café Arôme d'Or, un mélange sudaméricain au goût fort, prédominent les couleurs noir et jaune d'or qui reflètent la force du café et l'or des Atzechi. Le "S" de Splendid se double dans le liquide frémissant et la vapeur montant de la tasse visualise l'arôme délicieux du café.

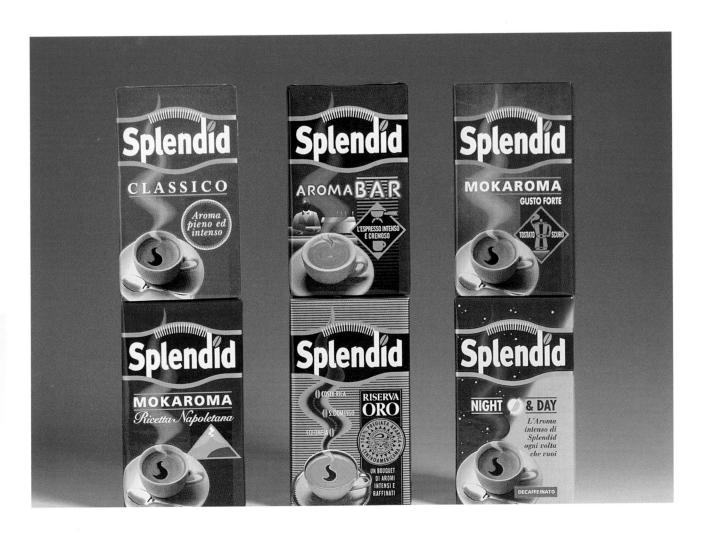

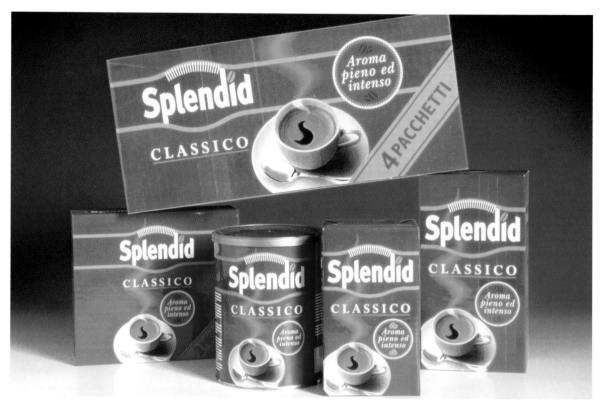

Frugoletto

CLIENT

Stuffer

BRIEF

To revitalise the packaging for the Frugoletto range to give it a greater sense of fun and vitality. Frugoletto is a market leader in the production of children's snacks in Italy.

SOLUTION

In order to attract the younger generation, illustrations were used reminiscent of children's books. The fresh, bright colours in the new design create a healthy feel. The 'bouncing' line gives the design energy, but is also used to direct the eye to the flavour, or sometimes to highlight promotional offers or product names.

CLIENTE

Stuffer

BRIEF

Rendere più vivido il packaging della linea Frugoletto, per trasmettere un senso più forte di allegria e di vivacità. Frugoletto è un prodotto leader sul mercato delle merendine per bambini in Italia.

SOLUZIONE

Per attirare le generazioni più giovani si sono utilizzate illustrazioni che ricordano quelle dei libri per bambini. I colori freschi e brillanti del nuovo design creano l'idea di un prodotto sano. La linea rimbalzante dà energia al disegno ma serve anche per guidare lo sguardo verso il gusto della confezione o, in certi casi, per evidenziare le offerte promozionali o i nomi dei prodotti.

CLIENT

Stuffer

CONTEXTE

Revitaliser le packaging de la ligne Frugoletto, pour transmettre une plus grande sensation de gaîté et vitalité. Frugoletto est un produit leader sur le marché des goûters pour enfants en Italie.

RESULTAT

Pour attirer les plus jeunes générations, on a adopté des illustrations rappellant celles des livres d'enfants. Les couleurs fraîches et brillantes du nouveau design transmettent l'idée d'un produit sain. La ligne ''rebondissante'' donne de l'énergie au dessin mais sert aussi à conduire le regard vers la saveur du produit ou, dans certains cas, à mettre en évidence les promotions offertes ou les noms des produits.

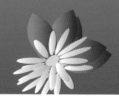

SNACK

Swiss Delice

CLIENT

Migros, Switzerland

BRIEF

To design the identity and packaging for Swiss Delice, the first new brand for Migros created as part of a European export drive. The brand needed to communicate, though not overtly, its Swiss origins. Packaging should give immediate shelf impact and be visually appetising.

SOLUTION

The informal script of the logotype creates an 'S' which can also be interpreted as a ski slope with a small Swiss flag acting as a piste indicator. This brand is used strongly for all sweet items which are the core products. The range of chocolate carries strong branding due to the Swiss reputation for high quality chocolate. The range is colour coded, each with an illustration of a different Swiss scene and a coloured sweep reflecting the 'S' of Swiss Delice. For peripheral products 'Swiss Delice' acts as a simple endorsement.

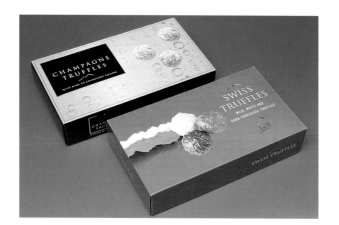

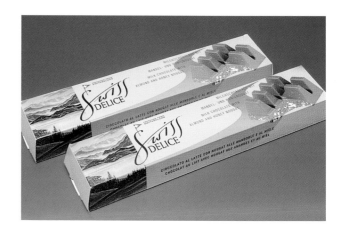

CLIENTE

Migros, Svizzera

BRIEF

Studiare l'immagine coordinata e il packaging per Swiss Delice, il nuovo marchio di Migros, il primo realizzato per aprirsi alle esportazioni in Europa. Il marchio doveva comunicare, ma non in modo scontato, l'origine svizzera. Il packaging doveva offrire una immediata distinguibilità sullo scaffale ed essere visivamente appetibile.

SOLUZIONE

La scritta informale del marchio crea una «S» che si può anche interpretare come una pista da sci con una bandierina svizzera che funge da indicatore. Il marchio è utilizzato con forza per i dolci che sono i prodotti principali. La linea dei vari tipi di cioccolato veicola un'immagine forte, grazie alla fama di alta qualità della cioccolata svizzera. Gli articoli sono distinti per il colore, e ognuno rappresenta un diverso panorama svizzero, mentre una larga linea curva e colorata riprende la «S» di Swiss Delice.

CLIENT

Migros, Suisse

CONTEXTE

Créer l'image de marque et le packaging de Swiss Delice, la première marque de Migros conçue pour pénétrer les marchés européens. Le bloc-marque devait communiquer indirectement son origine suisse. Le packaging devait avoir un impact fort sur le linéaire et être visuellement appétissant.

RESULTAT

L'inscription informelle du logotype forme un "S" qui peut aussi être interprété comme une piste de ski avec un petit pavillon suisse servant d'indicateur. La marque est utilisée avec force pour les gâteaux qui sont les principaux produits. La gamme de chocolats véhicule une image forte grâce à l'excellente réputation du chocolat suisse. Chaque gamme est identifiée par une couleur et un panorama suisse différent alors qu'une large ligne courbe et colorée reprend le "S" de Swiss Delice.

Express Milk

CLIENT

Express Dairies plc

BRIEF

To design the pack to complement Express Dairies' new marketing initiative of focusing on the fat content in milk. The client had an important message to convey, that even full fat milk contains only 4% fat and so is still a healthy drink. A simple design was required not to detract from this.

SOLUTION

The old design with illustrations of cows and countryside had become outdated. The new packs are colour coded depending on fat content in colours traditionally associated with dairy products. The bright colours and bold lettering give a strong shelf impact - a no nonsense but effective design.

CLIENTE

Express Dairies plc

BRIEF

Realizzare una confezione che integri la nuova iniziativa di marketing della Express Dairies, che punta sul contenuto di grassi del latte. C'era un messaggio importante da trasmettere al cliente: anche il latte intero non ha un contenuto di grassi che supera il 4% e quindi resta sempre una bevanda salutare. Serviva un design semplice che non distraesse dal messaggio centrale.

SOLUZIONE

Il vecchio design che rappresentava mucche al pascolo, era oramai superato. Le nuove confezioni hanno un colore che le distingue a seconda della percentuale di grassi. Sono colori tipici dei prodotti caseari, vivaci e con scritte ben evidenziate, che ne assicurano una forte visibilità: un design senza inutili fronzoli ma efficace.

CLIENT

Express Dairies plc

CONTEXTE

Concevoir un emballage qui intègre la nouvelle initiative de marketing d'Express Dairies centrée sur le pourcentage de matières grasses du lait. Le message important à transmettre était: même le lait entier ne contient pas plus de 4% de matières grasses et peut donc être considéré comme une boisson saine. Il fallait un design simple attirant strictement l'attention sur ce message.

RESULTAT

L'ancien design, illustrant des vaches au pâturage, était désormais dépassé. Les couleurs des nouveaux emballages varient suivant le pourcentage de matières grasses du produit et elles ont été choisies parmi les couleurs classiques des produits laitiers. Les tons vifs et les lettres bien mises en évidence assurent une forte visibilité: un design sans ornement mais efficace.

Rio Mare

CLIENT

Rio Mare, Italy

BRIEF

To update the packaging for a range of tinned salmon.

SOLUTION

It was decided to keep the strong branding of Rio Mare with its reputation for quality. To emphasise the fact that only the best cuts of the fish are used, a fillet is placed on a fish plate on which the fish is illustrated. The fillet is placed on the part of the fish from which the fillet comes. The addition of a garnish of potatoes and salad makes the packaging more appetizing. Colour coding of the background depicts the different flavours available.

CLIENTE

Rio Mare, Italia

BRIEF

Aggiornare il packaging per una linea scatole di salmone.

SOLUZIONE

Si è deciso di conservare il branding efficace di Rio Mare, con la sua reputazione di qualità. Per mettere bene in evidenza il fatto che si utilizzano solo i tagli migliori del pesce, si presenta l'immagine di un filetto di salmone su un piatto da pesce, che a sua volta reca la figura di un pesce. Il filetto copre proprio la parte della figura del pesce dal quale proviene. Un contorno di patatine e di insalata rende la confezione ancor più appetibile. I colori sullo sfondo distinguono i vari gusti in offerta.

CLIENT

Rio Mare, Italie

CONTEXTE

Réactualiser le packaging d'une gamme de saumon en boîte.

RESULTAT

On a été décidé de conserver le puissant bloc-marque de Rio Mare, réputé pour sa qualité. Pour bien souligner le fait que seuls les meilleurs morceaux du poisson sont utilisés, un filet de saumon est disposé sur un plat à poisson décoré lui-même avec le dessin d'un poisson. Le filet couvre justement la partie de poisson d'où il provient. Avec des pommes de terre et de la salade comme garniture, le packaging est encore plus appétissant. Les couleurs sur le fond différencient les différents goûts disponibles.

Modena Balsamic Vinegar

CLIENT

Ponti

BRIEF

To redesign the packaging for Modena Balsamic Vinegar in order to launch it onto the American market.

SOLUTION

Italy is often accredited with the production of top quality oils and vinegars. To exploit this key equity, national and regional links were highlighted. On the label the colours black and gold dominate. Black echoes the colour of the vinegar and gold gives a luxurious feel. The presence of red picks up the colours in the Modena regional flag, illustrated in one of three medals which emphasise the high quality. The shape of the bottle was changed to make it taller. The classic presentation and air of sophistication are designed to appeal to any quality-conscious customer regardless of nationality.

D

CLIENTE

Ponti

BRIEF

Riprogettare il packaging dell'Aceto Balsamico di Modena allo scopo di lanciarlo nel mercato americano.

SOLUZIONE

L'Italia gode di una notevole considerazione per l'olio e l'aceto che produce. Per sfruttare questo patrimonio d'immagine, si è messa in rilievo l'origine nazionale e regionale. Sull'etichetta prevalgono il nero e l'oro. Il nero richiama il colore dell'aceto e l'oro dà la sensazione di un prodotto di lusso. Il rosso riprende i colori dello stemma della provincia di Modena, raffigurata in una delle tre medaglie che sottolineano l'alta qualità del prodotto. La forma della bottiglia è stata modificata allungandola. La presentazione classica e l'aspetto raffinato hanno la funzione di attirare i consumatori di qualsiasi paese attenti alla qualità.

CLIENT

Ponti

CONTEXTE

Reconstruire le packaging du vinaigre Balsamique de Modène en vue de le lancer sur le marché américain.

RESULTAT

L'Italie jouit d'une excellente réputation pour ses huiles et ses vinaigres. Pour exploiter ce capital-image, l'origine italienne et régionale a été mis en valeur. Les couleurs noir et or prédominent sur l'étiquette. Le noir rappelle la couleur du vinaigre et l'or donne la sensation d'un article de luxe. Le rouge provient des couleurs de l'emblème de la province de Modène, représentée dans une des trois médailles soulignant la haute qualité du produit. La forme de la bouteille a été allongée. La présentation classique et l'aspect raffiné ont la fonction d'attirer les consommateurs de tout pays sensibles à la qualité.

KDD Milk Packs

CLIENT

Kuwaiti Danish Dairies

BRIEF

To design the packs for a range of long-life milk.

SOLUTION

The new packs retain the same colour coding to denote fat content as the old packs. A milky white band has been introduced diagonally across the pack like a flow of milk. This simple but striking design creates greater shelf impact than the old, very plain pack and is immediately recognisable as a milk pack.

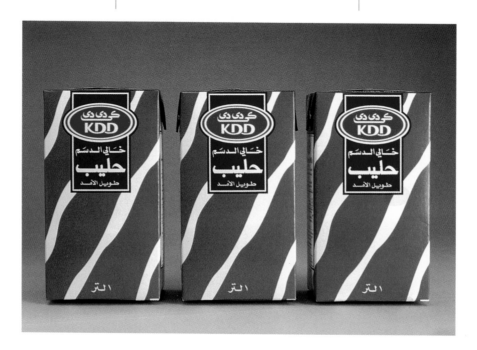

CLIENTE

Kuwaiti Danish Dairies

BRIEF

Progettare le confezioni di vari tipi di latte a lunga conservazione.

SOLUZIONE

Le nuove confezioni mantengono lo stesso codice colore che veniva usato su quelle precedenti per indicare la percentuale di grassi. Si è introdotta una fascia in diagonale color bianco latte, simile al latte mentre viene versato, lungo tutta la superficie della confezione Questo design semplice ma di forte effetto ha un maggior impatto sullo scaffale rispetto alla precedente confezione che era molto ordinaria e inoltre è immediatamente riconoscibile come una confezione di latte.

CLIENT

Kuwaiti Danish Dairies

CONTEXTE

Redessiner les emballages des différents types de lait à longue conservation.

RESULTAT

Les nouveaux emballages maintiennent les codes de couleurs utilisés sur les précédents pour indiquer le pourcentage de matières grasses. Une bande diagonale blanc lait a été ajoutée: elle contourne tout l'emballage et rappelle le lait quand on le verse. Ce dessin simple mais à fort impact se repère beaucoup plus rapidement sur le linéaire que l'emballage précédent qui était bien plus ordinaire. Il est en outre immédiatement identifié comme un emballage de lait.

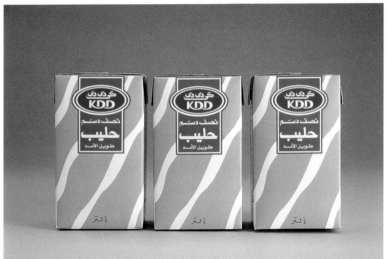

Express Milk Bottle

CLIENT

Express Dairies plc

BRIEF

To design a pack for fresh milk in the form of a plastic bottle for the doorstep and middle market, to replace the existing glass milk bottles. The bottle should differentiate Express from competitors, be easy to open and instantly recognisable as a fresh milk pack. Due to the competitive nature of the market, it was essential the pack should be cost-effective.

SOLUTION

The glass milk bottle, though an institution in the UK, has the disadvantages of being easy to break and impossible to reseal. The new pack draws its inspiration from the traditional milk bottle but its screw top lid means it is resealable. Costs are kept to a minimum as existing machinery can be used to manufacture the bottles. Because the public associates the traditional glass milk bottle with fresh milk, it is impossible to confuse this pack, reminiscent of the old-style milk bottle, with a pack for sterilised milk.

CLIENTE

Express Dairies

BRIEF

Realizzare una confezione di latte fresco, in una bottiglia di plastica per la distribuzione a domicilio o intermedia, in sostituzione delle precedenti bottiglie di vetro. La bottiglia doveva diversificare il latte Express da quello della concorrenza, doveva essere facile da aprire e immediatamente riconoscibile come una confezione di latte fresco. Considerando le caratteristiche concorrenziali del mercato, era fondamentale che la confezione fosse anche relativamente poco costosa.

SOLUZIONE

La bottiglia di vetro per il latte, che pure in Gran Bretagna è un'istituzione, presenta gli svantaggi di non essere infrangibile e di non poter essere risigillata. La confezione nuova si ispira alla bottiglia tradizionale del latte, ma ha un tappo a vite che la richiude ermeticamente. Dato che il pubblico identifica la tradizionale bottiglia di vetro col latte fresco, è impossibile confondere questa, che richiama alla mente la forma delle vecchie bottiglie, con le confezioni di latte a lunga conservazione.

CLIENT

Express Dairies

CONTEXTE

Dessiner une bouteille en plastique pour la distribution du lait frais, à domicile ou à travers un intermédiaire. Celle-ci devait remplacer la bouteille de lait en verre actuellement utilisée, (qui a l'inconvénient d'être cassable et de ne pas pouvoir être fermée), et devait distinguer le lait Express de celui de la concurrence. On devait pouvoir l'ouvrir facilement et l'identifier tout de suite comme un emballage de lait frais. Vu la concurrence, cet emballage devait aussi avoir le privilège d'être bon marché.

RESULTAT

Le nouvel emballage s'inspire de la bouteille traditionnelle mais il a en plus l'avantage de pouvoir être fermé hermétiquement par un bouchon à vis. Les coûts sont limités car les bouteilles sont produites par des machines préexistantes. Etant donné que le public associe la forme de la traditionnelle bouteille en verre au lait frais, il est impossible de confondre cette nouvelle bouteille en plastique, créée à l'image des anciennes, avec les emballages de lait à longue conservation.

Loackini

CLIENT

Loacker

BRIEF

To design the packaging for a small bite-sized chocolate called Loackini.

SOLUTION

The packaging was designed to reflect that the product is intended as a luxury item. Each treat was individually wrapped in gold edged foil which not only conveys quality, but keeps the chocolate fresh.

CLIENTE

Loacker

BRIEF

Creare il packaging per i cioccolatini Loackini.

SOLUZIONE

Si è studiato un packaging che rispecchiasse l'idea che i Loackini sono considerati un prodotto di pregio. Ogni pezzo è avvolto in una carta con bordo dorato, che non solo rimanda un'immagine di qualità, ma serve anche a mantenere fresco il cioccolato.

CLIENT

Loacker

CONTEXTE

Créer le packaging pour les chocolats Loackini.

RESULTAT

Le packaging a été crée de sorte à communiquer l'idée que les chocolats Loackini sont un article de luxe. Chaque chocolat est enveloppé dans un papier avec bord doré qui, outre à transmettre une image de qualité, a l'avantage de conserver le chocolat au frais.

Swiss Delice Ice Tea

CLIENT

Migros, Switzerland

BRIEF

To design the packaging for a range of ice teas.

SOLUTION

Being a peripheral product in the new Swiss Delice range of products for export, the packaging does not carry the strong branding of the core products, but a small Swiss Delice endorsement. The packaging reflects the purity of Swiss Alpine water with an illustration of a snowy mountain range which is vignetted in the glass to become the ice of the tea.

CLIENTE

Migros, Svizzera

BRIEF

Progettare il packaging per una gamma di thè freddi.

SOLUZIONE

Poiché si tratta di un prodotto marginale della nuova gamma Swiss Delice, destinata all'esportazione, il packaging non mette in forte rilievo la marca principale, ma reca solo una piccola scritta Swiss Delice. La confezione rimanda alla purezza delle acque delle Alpi svizzere, con la figura di una catena di montagne innevate che si trasforma nel ghiaccio del thè.

CLIENT

Migros, la Suisse

CONTEXTE

Créer le packaging pour une gamme de thés froids.

RESULTAT

Vu qu'il s'agit d'un produit secondaire de la nouvelle gamme Swiss Delice destinée à l'exportation, le packaging n'insiste pas sur le bloc-marque des principaux produits mais reporte simplement Swiss Delice écrit en petit. L'emballage renvoie à la pureté de l'eau des Alpes suisses symbolisée par une chaîne de montagnes enneigées qui se transforment en glace pour le thé.

Poême

CLIENT

Lancôme

BRIEF

To create an identity for the thirtieth perfume from Lancôme which was also celebrating its sixtieth anniversary. Poême had to reflect the relationship between sensuality and the smile.

SOLUTION

The concept expressed by the perfume's name, 'poem', was developed using Apollinaire's calligrammes and typographical word games. This fanciful concept continues inside the bottle where Paul Eluard's verses evoke the sea and sketch the waves.

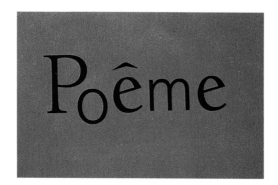 

CLIENTE

Lancôme

BRIEF

Realizzare l'immagine del tredicesimo profumo di Lancôme, che festeggiava anche i propri sessant'anni di attività. Poême doveva rispecchiare il rapporto che esiste tra la sensualità e il sorriso.

SOLUZIONE

Il concetto espresso dal nome del profumo, «poema», è stato sviluppato utilizzando i calligrammi di Apollinaire e alcuni giochi di parole tipografici. Il gioco di fantasia continua sul flacone, dove i versi di Paul Eluard evocano il mare e richiamano il movimento delle onde.

CLIENT

Lancôme

CONTEXTE

Créer une identité pour le trentième parfum de la marque qui célébrait son soixantiéme anniversaire. Poême devait être le reflet du marriage entre le sourire et la sensualité.

RESULTAT

Le concept exprimé par le mot "poême" a été développé en référence aux calligrammes d'Appolinaire et à ses jeux typographiques. La fantaisie du concept s'épanouit à l'intérieur de l'émi où de vers de Paul Eluard évoquent la mer et dessinent des vagues.

Slimma

CLIENT

Osotspa, Thailand

BRIEF

To update the existing pack for Slimma, a low calorie sweetener, for export outside Thailand, across South East Asia and potentially globally.

SOLUTION

Continuity across the range which consists of a variety of boxes, tubs and dispensers, was achieved by the identical application of the logotype and illustration across the top of each pack. A key element was the introduction of an appetising photograph of a strawberry, distinguishing it from other sweeteners and conveying its natural goodness. This is underlined by the addition of a strapline, "Natural Sweetener".

CLIENTE

Osotspa, Tailandia

BRIEF

Rinnovare la confezione esistente destinata all'esportazione dalla Tailandia in tutto il Sud-est asiatico e, in prospettiva, in tutto il mondo.

SOLUZIONE

Si è data coerenza e continuità a tutta la gamma, che comprende scatole, recipienti e distributori di diverso tipo, applicando la stessa scritta e la stessa immagine sulla parte superiore di ogni tipo di confezione. Un elemento chiave è rappresentato dall'introduzione di una fotografia di una fragola gustosa, che distingue il prodotto da altri dolcificanti e trasmette un messaggio di naturale bontà, sottolineato anche dall'aggiunta delle parole «Natural sweetener» - «Dolcificante naturale».

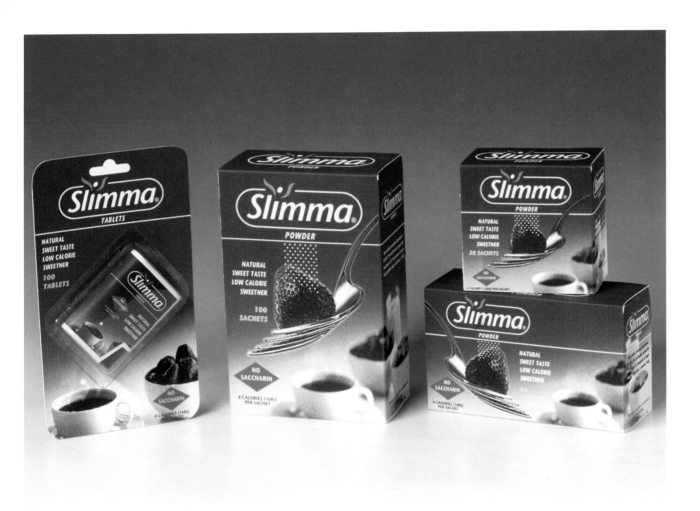

CLIENT

Osotspa, Thaïlande

CONTEXTE

Réactualiser l'emballage pour la future exportation du produit, depuis la Thaïlande vers le Sud-est asiatique et en perspective vers le monde entier.

RESULTAT

Pour assurer la continuité de toute la gamme, qui comprend des boîtes, des tubes et des distributeurs de différents types, le même logotype et la même image ont été appliqués sur la partie supérieure de chaque type de conditionnement. Un élément clé est représenté par l'introduction de la photo d'une fraise très appétissante, qui distingue ce produit des autres édulcorants et transmet un message de bonté naturelle, soulignée aussi par les mots "Natural sweetener" - "Edulcorant naturel".

FINANCIAL DESIGN

The financial sector, not traditionally associated with
design, has had to turn to wit and design to give it a boost
in an overcrowded market place.

Il settore finanziario, normalmente con pochi collegamenti
al design, ha dovuto ricorrere a soluzioni progettuali
intelligenti per avere una spinta indispensabile in un
mercato sovraffollato.

Le secteur financier, qui généralement n'est pas associé au
design, a dû avoir recours à des solutions créatives
intelligentes pour émerger sur un marché déjà comble.

CHAPTER THREE

Contents

(D) ——————— Design proposals which contributed to the chosen design.

Proposte servite per la scelta di una soluzione.

Propositions de design ayant conduit à la solution choisie.

(B) ——————— The design before alterations made by Minale Tattersfield.

Design prima dell'intervento di Minale Tattersfield.

Design avant l'intervention de Minale Tattersfield.

NatWest Bank

CLIENT

NatWest Bank

BRIEF

To design promotional material for various campaigns. This involves in-branch campaigns, direct mail, statement inserts and posters. A key requirement was that the material should also work as street advertising.

SOLUTION

The intense competition between banks and the proliferation of products offered on the market requires that designs should be direct and bold - snappy copy lines to go with bold and dynamic images to catch the eye of the passer-by. The following selection needs no explanation - they convey their message simply and with humour.

CLIENTE

NatWest Bank

BRIEF

Progettare il materiale promozionale per diverse campagne, per il direct mailing; per le brochure esplicative spedite meoliante estratto conto manifesti. Una delle esigenze principali implicava che il materiale fosse anche utilizzabile per le pubblicità stradali.

SOLUZIONE

La forte concorrenza nel settore bancario e la proliferazione dei prodotti offerti sul mercato impone la scelta di un design diretto e vistoso - un testo vigoroso e brillante che si coniughi bene con immagini forti e dinamiche, che sappiano attrarre lo sguardo del passante. La scelta delle immagini non ha bisogno di spiegazioni: trasmettono il messaggio in modo semplice e spiritoso.

CLIENT

NatWest Bank

CONTEXTE

Créer le matériel de promotion pour différentes campagnes: pour les filiales, pour le mailing direct, les annonces et les affiches. Une des principales contraintes de cette étude dérivait du fait que le matériel devait aussi s'appliquer à l'affichage routier.

RESULTAT

La forte concurrence dans le secteur bancaire et la prolifération de produits offerts sur le marché, imposent le choix d'un design direct et voyant - un texte vigoureux et brillant se mariant bien avec des images fortes et dynamiques capables de capturer le regard du passant. Le choix des images n'a pas besoin de commentaires: elles transmettent leur message avec simplicité et humour.

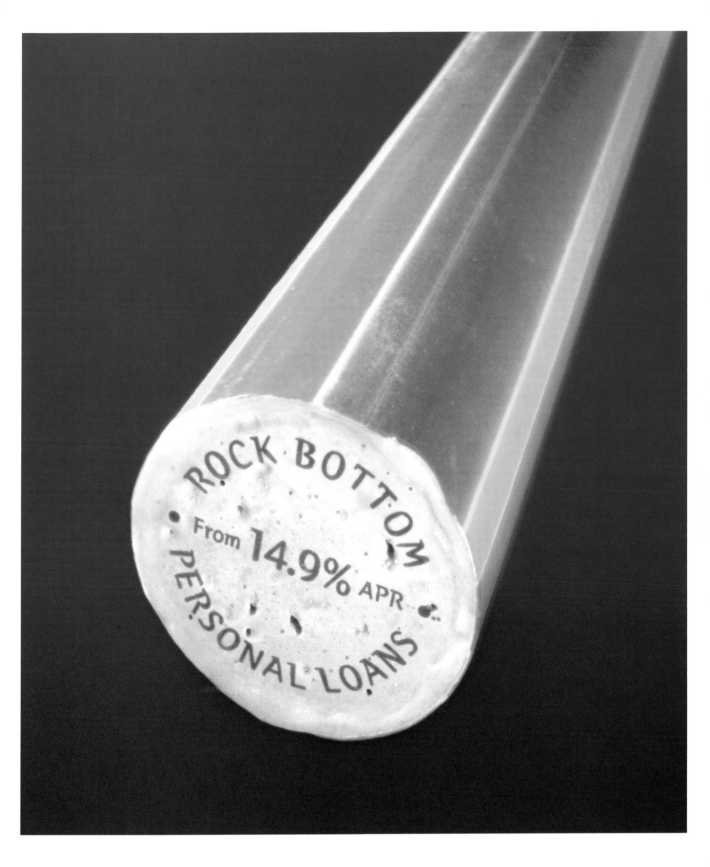

ROCK BOTTOM
From 14.9% APR
PERSONAL LOANS

Check
how
brilliant
telephone banking is
Pick up a leaflet for details
NatWest
National Westminster Bank Plc. 41 Lothbury, London EC2P 2BP. Registered No. 929027 England.

Win the holiday you've always wished for.*

Plus, the chance to win a classic Christmas stocking† at this branch.

Pick up a leaflet for details.

*Closing date for entries 31 December 1997.   † Closing date for entries 18 December 1997.

 **NatWest**

National Westminster Bank Plc, 41 Lothbury, London EC2P 2BP.

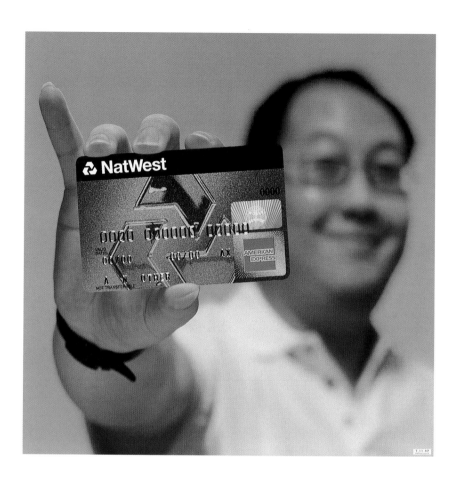

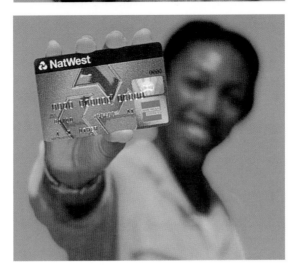

ank

ou

Bourse de Casablanca

CLIENT

La Société des Valeurs de la Bourse de Casablanca (SVBC)

BRIEF

The SVBC posed several design problems - either a long name which is difficult to memorize and to present graphically or an abstract abbreviation. The original visual identity fails to communicate the values of this established financial institution.

SOLUTION

A shorter name -'La Bourse de Casablanca'- is accompanied by a visual identity designed to impart a certain personality and culture. The olive tree, characteristic of a Mediterranean landscape, symbolises longevity and strength, a solid base from which to achieve progress. The symbol develops from a simple illustration to a computerised image, creating a link between the company's natural resources and sophisticated modern technology. A grey and plum colour were chosen to represent the stringent and precise procedures of the banking establishment.

BOURSE DE CASABLANCA

BOURSE DE CASABLANCA

CLIENTE

La Société des Valeurs de la Bourse de Casablanca (SVBC)

BRIEF

La SVBC poneva vari problemi di progettazione, come la scelta tra un nome lungo e difficile da memorizzare e da presentare graficamente e una sigla astratta. L'identità visuale, pur originale, non riesce a comunicare i valori di una solida istituzione finanziaria.

SOLUZIONE

Un nome più corto, «La Bourse de Casablanca», si accompagna a un'identità visuale studiata per mettere in evidenza una certa personalità e una certa cultura. L'albero d'olivo, caratteristico del paesaggio mediterraneo, simbolizza la longevità e la forza, una base solida su cui crescere. Il simbolo si sviluppa da una semplice illustrazione a un'immagine computerizzata, creando un legame tra le risorse naturali dell'azienda e una tecnologia elaborata e moderna. La scelta dei colori grigio e prugna mira a rappresentare le procedure rigorose e accurate dell'istituto bancario.

Bourse
de Casablanca

CLIENT

La Société des Valeurs de la Bourse de Casablanca (SVBC)

CONTEXTE

La «Société des Valeurs de la Bourse de Casablanca » ou SVBC présentait plusieurs problèmes. Un nom trop long donc difficilement mémorisable et peu utilisable graphiquement ou une contraction trop abstraite. Une identité visuelle communiquant trop peu de valeurs pour une telle institution financière.

RESULTAT

Un nom plus court - La Bourse de Casablanca- assorti d'une identité visuelle conçue pour donner à l'établissement une personnalité et une culture. L'olivier, caractéristique du paysage méditérannéen symbolise la longévité et la force sur lesquelles se basent le progrès. La structure graphique évolue d'un dessin descriptif à une apparence informatisée, mettant en symbiose les ressources naturelles et la sophistication de la technologie moderne. Les couleurs gris et prune ont été choisies pour représenter l'aspect strict et rigoureux du monde de la finance.

Banque Populaire

CLIENT

Banque Populaire

BRIEF

The Banque Populaire group is made up of branches distributed across the whole of France, each operating completely autonomously. A programme was drawn up to ensure a more systematic and coherent application of the visual identity, in order to fully exploit the good reputation of the Banque Populaire and improve its image on both a national and a regional level.

SOLUTION

The new logotype consists of two colours, a sophisticated dark blue contrasting with sky blue, the original company colour of Banque Populaire. These are used in a strong symbol - a square - to produce a strong and dynamic branding aided by the arrow which carries the '+x' - and the name which has been integrated into the logotype using a clean, modern typography. The illuminated band on branch fascias and printed matter enables the branches to maintain their regional identity.

CLIENTE

Banque Populaire

BRIEF

Il gruppo della Banque Populaire è formato da numerose filiali distribuite su tutto il territorio francese, che operano in completa autonomia. Si era studiato un programma che assicurasse un'applicazione più sistematica e coerente dell'identità, per sfruttare appieno la buona reputazione della Banque Populaire e per migliorarne l'immagine sul piano sia nazionale sia regionale.

SOLUZIONE

Il nuovo marchio è in due colori, un raffinato azzurro scuro che contrasta col celeste chiaro, colore originale della Banque Populaire. Entrambi sono utilizzati all'interno di un simbolo forte (un quadrato) per produrre un branding energico e dinamico con l'aiuto della freccia che reca il «+x» e il nome, che è stato iscritto nel marchio a caratteri nitidi e moderni. Le insegne luminose delle filiali, gli stampati e la modulistica consentono alle singole sedi di conservare un'identità distinta per ogni regione.

BANQUE POPULAIRE

CLIENT

Banque Populaire

CONTEXTE

Le Groupe Banque Populaire réunit des
établissements bancaires répartis sur l'ensemble
du territoire français et jouissant chacun d'une
indépendance et d'une autonomie totales. Il a
donc été décidé d'un plan d'action visant à mettre
en place une application plus cohérente et
systématique de l'identité visuelle, afin de mettre
en valeur la personnalité de la Banque Populaire
et lui permettre d'être mieux perçue au plan
national, mais aussi régional.

RESULTAT

Le nouveau logotype est constitué de deux
couleurs - un bleu foncé, profond et élégant,
contrastant avec le bleu cyan, historiquement
couleur institutionnelle de la Banque Populaire,
d'un emblème fort - un carré formant un bloc-
marque stable et dynamique grâce au déport de
la flèche contenant le "+x" - et d'un nom intégré
au bloc-marque dans une typographie très lisible
et moderne. La lisse sur les façades des agences
et sur les documents imprimés, permet aux
Banque Populaires de s'exprimer.

TRIMARAN
BANQUE
POPULAIRE

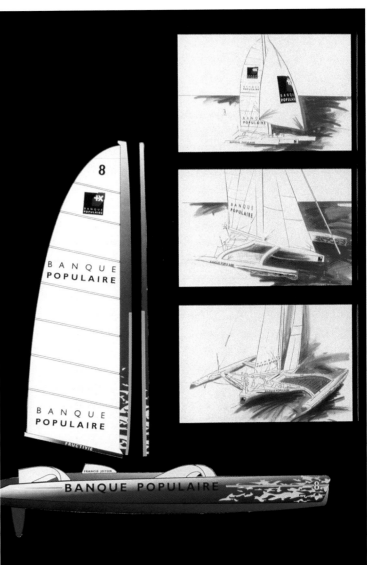

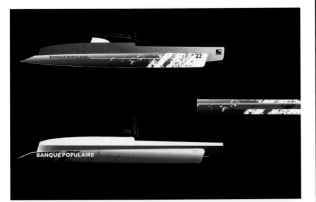

Banque La Hénin

CLIENT

La Hénin

BRIEF

The Hénin Bank was aiming to rationalise its image to reposition itself in a highly competitive financial market. The company wanted to bring about this evolution internally through a new commercial strategy, and externally through a new visual identity.

SOLUTION

The image embodies all the messages La Hénin wanted to communicate: its sphere of operations - (distribution of savings, fund management); its high quality service; its adaptability, enthusiasm and progressive policies and its image as a French institution and a leader in its field. The direct choice of name and the sunflower logotype updates the company image so it appears less exclusive and more open to the public as a whole.

CLIENTE

La Hénin

BRIEF

La banca Hénin puntava a razionalizzare la propria immagine per riposizionarsi in un mercato finanziario molto competitivo. L'intenzione era quella di realizzare questa evoluzione all'interno, con una nuova strategia commerciale, e all'esterno, mediante una nuova immagine.

SOLUZIONE

L'immagine racchiude tutti i messaggi. La Hénin voleva comunicare: il proprio ambito operativo (distribuzione di risparmi, gestione di fondi), l'alto livello dei propri servizi, le caratteristiche di adattabilità e di entusiasmo e le politiche avanzate, l'immagine di un'istituzione francese e di leader nel settore. La scelta diretta del nome e del marchio del girasole rende più moderna l'immagine dell'azienda, in modo da farla apparire meno esclusiva e più vicina al pubblico in generale.

CLIENT

Banque La Hénin

CONTEXTE

La Banque La Hénin voulait repositionner et singulariser son image dans un marché bancaire fortement concurrentiel. Forte d'une nouvelle stratégie commerciale, elle souhaite matérialiser cette évolution auprès du grand public ainsi qu'en interne par le biais d'un changement de son identité visuelle.

RESULTAT

L' image exprime l'ensemble des messages que la Hénin sohaitait communiquer: le métier - distribution d'épargnes, de crédits et de services; l'adaptabilité, l' enthousiasme, l'évolutivité et une image d'une institution français et d'un leader. Le choix d'un nom plus direct, d'une tournesol comme logotype rajeunit l'image de la société qui se présente, non plus comme une banque exclusive, mais comme une équipe ouverte à une large clientèle de particuliers.

TRANSPORT DESIGN

With continued technological advances, the sphere of transport development is becoming ever more diverse and specialised. Design is integral at every stage.

È un settore che tende sempre più a diversificarsi e a specializzarsi grazie ai continui progressi tecnologici. Il design è una componente essenziale in ogni fase di questa evoluzione.

Ce secteur tend de plus en plus à se diversifier et à se spécialiser grâce aux développements technologiques constants. Le design est une composante essentielle à tous les stades de cette évolution.

CHAPTER FOUR

Contents

(D) Design proposals which contributed
to the chosen design.

Proposte servite per la scelta di una
soluzione.

Propositions de design ayant conduit
à la solution choisie.

(B) The design before alterations made
by Minale Tattersfield.

Design prima dell'intervento di
Minale Tattersfield.

Design avant l'intervention de
Minale Tattersfield.

Agip Petrol Station

CLIENT

Agip

BRIEF

Minale, Tattersfield & Acton were commissioned to come up with an idea to solve the problem of increasing demand and inadequate fuel supply in Eastern Europe; to provide an alternative fuel supply during the refurbishment of permanent stations and at large festivals and sporting events.

SOLUTION

A transportable, fully autonomous filling station, built on a flexible modular system of inter-connectable units. These fit into 2 shipping containers for easy transportation and can be installed and fully operational in 48 hours. It has improved environmental performance due to its double-walled tanks stored above ground and holds up to 40,000 litres of fuel, enough to last a small village for 3-6 months. The distinctive winged canopy folds down at night for added security. As a temporary structure it bypasses the time-consuming bureaucracy surrounding planning applications.

CLIENTE

Agip

BRIEF

Minale, Tattersfield & Acton é stata commissionata per risolvere il problema posto da una domanda in crescita e da un'inadeguata offerta di carburanti nell'Europa orientale e rispondere al richiesta di carburante in situazioni quali la ristrutturazione di stazioni di servizio esistenti, la domanda stagionale creata dal turismo o da grandi fiere.

SOLUZIONE

Una stazione di rifornimento mobile e del tutto autosufficiente, realizzata su di un sistema modulare e flessibile composto da elementi collegabili tra loro. Tali elementi sono facilmente trasportabili all'interno di due container ed è possibile montarli e avere una stazione funzionante nel giro di 48 ore. La stazione mobile è migliore dal punto di vista ecologico, in quanto dispone di vasche a doppia parete e installate sopra il livello del suolo. La stazione ha una capacità di 40.000 litri, una scorta sufficiente per le necessità di un piccolo centro per un periodo di 3-6 mesi.

CLIENT

Agip

CONTEXTE

Agip commissionna à Minale, Tattersfield & Acton un concept pour résoudre le problème posé par une offre de carburants inadaptée à la demande croissante, en Europe de l'Est.

RESULTAT

Une station service mobile et entièrement indépendante, réalisée sur un système flexible composé d'éléments modulaires. Ces éléments se transportent aisément dans deux containers et se montent rapidement : la station service est opérationnelle en 48 heures. La station mobile résulte beaucoup plus performante sur le plan écologique car elle dispose de réservoirs à double paroi au dessus du niveau du sol. Avec une capacité de 40.000 litres, elle peut satisfaire aux besoins d'une petite ville pour une durée de 3 à 6 mois et faire face aux pics de consommation durant la période touristique.

Oval Tube Station

CLIENT

The London Underground

BRIEF

Nearly 20 years ago Minale Tattersfield was commissioned to undertake a feasibility study on the re-design of Northern line stations. The theme selected for the Oval was a gigantic cricket ball travelling at speed along the vault of the platform. Due to cutbacks in the budget however, nothing came of the design. In the summer of 1996, Minale Tattersfield was again approached to work with architects Aukett Associates to create graphic images for the ticket hall of the new station.

SOLUTION

Illustrated figures of cricketers in action, as white silhouettes on bright green ovals, are located around the ticket hall. Together they make up a game, with a bowler in full flight, a batsman, wicketkeeper and fielders chasing the ball. The ball, now smaller, but still travelling at speed, is the one from the original scheme. Long shadows of the cricketers are cast into the travertine floor.

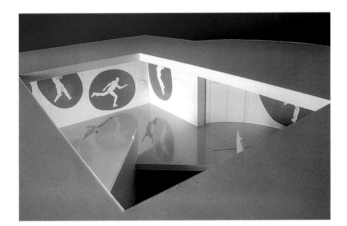 

CLIENTE

Metropolitana di Londra

BRIEF

Una ventina d'anni fa Minale Tattersfield ricevette l'incarico di eseguire uno studio di fattibilità per la ristrutturazione delle stazioni della Northern Line. Il tema prescelto per la Oval Station era una gigantesca palla da cricket, lanciata ad alta velocità lungo la volta sopra la pensilina. A causa di un taglio dei finanziamenti, tuttavia, il progetto non fu realizzato. Nell'estate del 1996, Minale Tattersfield fu nuovamente interpellata nella realizzazione delle immagini grafiche della biglietteria di una nuova stazione.

SOLUZIONE

Intorno alla biglietteria sono sistemate varie figure di giocatori di cricket in azione: ombre bianche su ovali color verde brillante. Le figure vengono a comporre una partita, con il lanciatore in piena azione e il battitore, il portiere e i difensori che seguono la traiettoria della palla. Questa, ora di dimensioni più ridotte, ma sempre in corsa veloce, è la stessa del progetto originale. Sul pavimento in travertino sono incise le lunghe ombre dei giocatori.

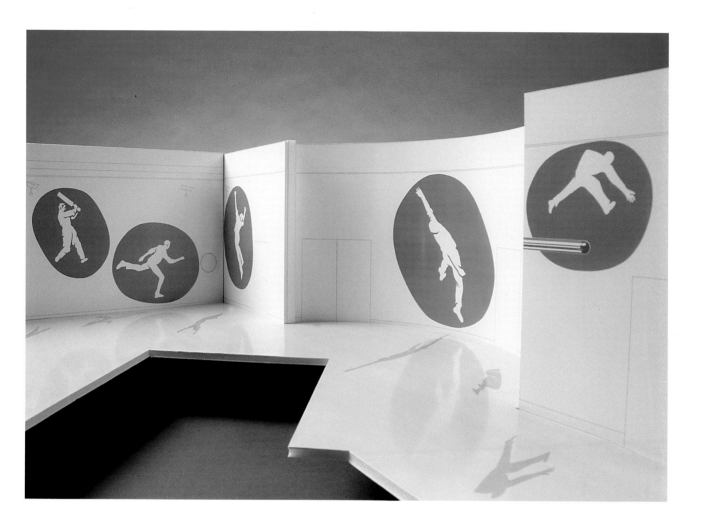

CLIENT

Métro de Londres

CONTEXTE

Il y a une vingtaine d'années, Minale Tattersfield avait été chargé de faire une étude de faisabilité pour la réfection des stations de la Northern Line. Pour la station Oval, le thème choisi était une gigantesque balle de cricket, lancée à toute vitesse le long de la voûte, au-dessus du quai. Mais suite à une réduction des fonds disponibles, le projet ne put être réalisé. En été 1996, Minale Tattersfield fut de nouveau interpellé de réaliser les images graphiques des guichets d'une nouvelle station.

RESULTAT

De joueurs de cricket en action, représentés par des silhouettes blanches sur fonds ovals de couleur verte et brillante, sont disposés tout autour des guichets. Le match se joue avec toute l'équipe: le lanceur en pleine action, un batteur, le gardien de but et les défenseurs qui suivent la balle. Aujourd'hui plus petite mais tout aussi rapide, la balle a été reprise du projet d'origine. Les longues ombres des joueurs se reflètent sur le plancher en travertin.

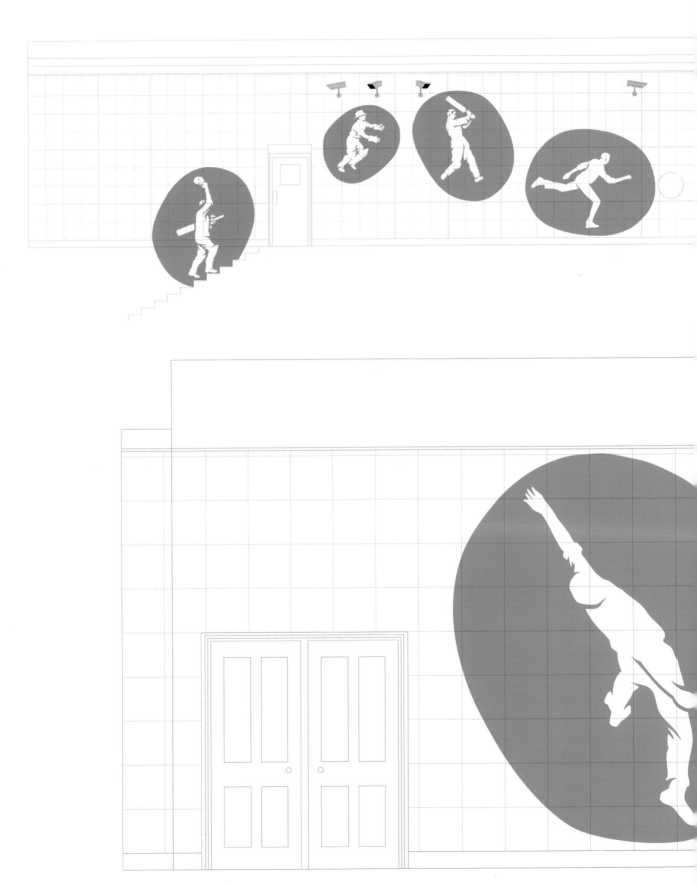

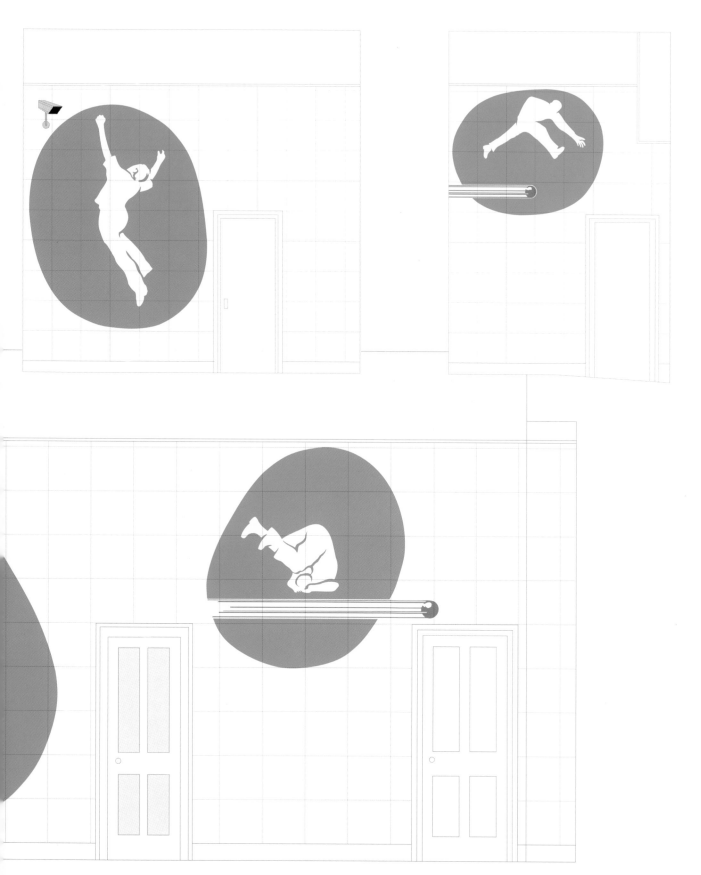

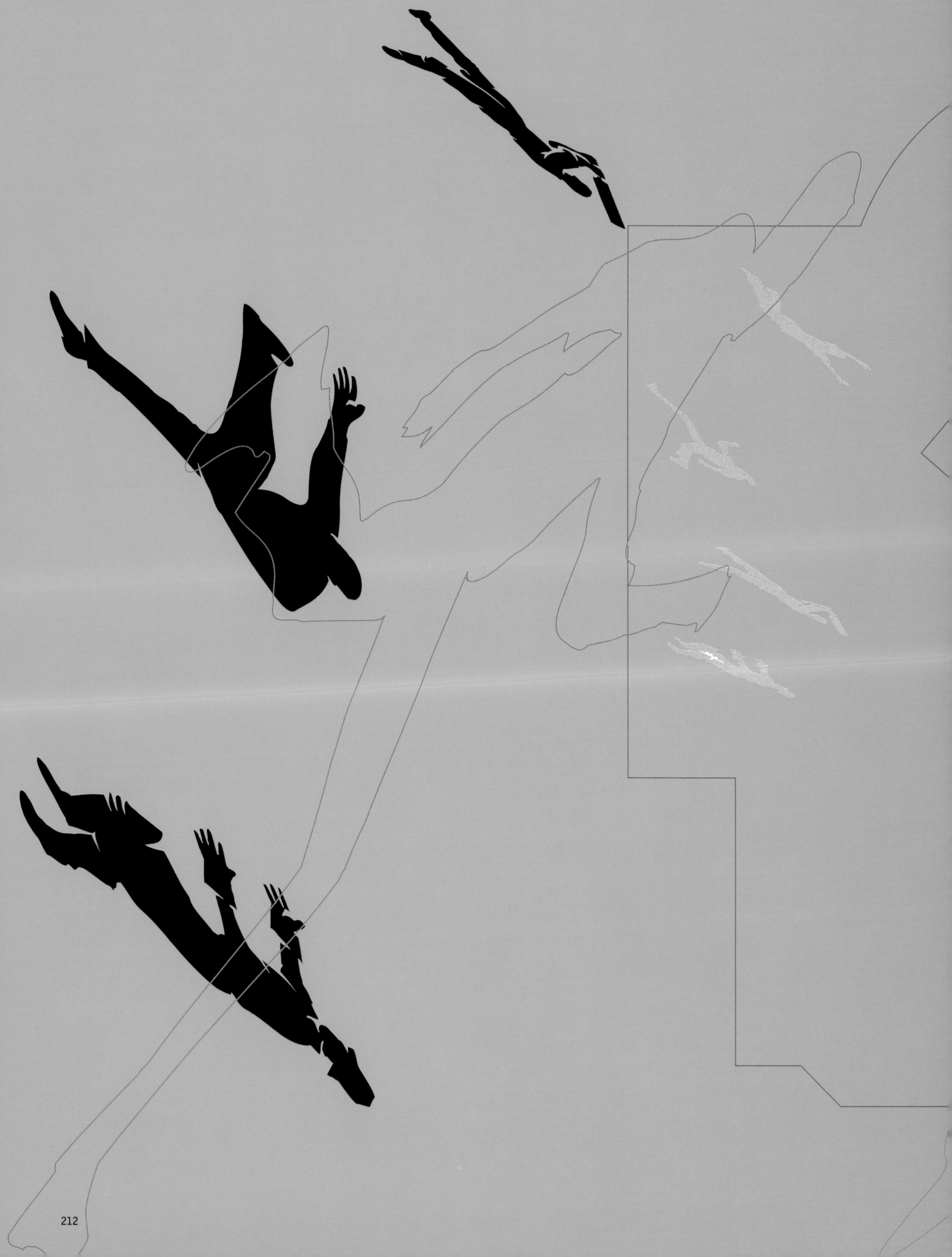

I.P. Italiana Petroli

CLIENT

IP Italiana Petroli

BRIEF

To update the retail identity to be implemented across its 3500 stations in Italy. The aims of the design programme were to be cost-effective and create an image of modernity, simplicity, quality and technology.

SOLUTION

The yellow and blue colours used by IP were kept, but brightened for a greater impact. A metallic silver was added, creating a more dynamic effect. These colours are applied throughout, with three main areas of structural alteration. The totem is sail shaped for a more streamlined effect. To update the fascia whilst keeping costs to a minimum, an illuminated concave structure was applied to the canopy. A low-maintenance option, the shell lip prevents dust from entering and enables ease of access to change the fluorescent tubes. Parallel to the road a simple, more economic silver cladding with circle details is applied. A new modernised typeface was developed for the sign system.

CLIENTE

IP Italiana Petroli

BRIEF

Aggiornare l'immagine dei distributori per tutte le 3500 stazioni esistenti in Italia. Il progetto aveva lo scopo di garantire l'efficienza dei costi oltre che trasmettere un'immagine di modernità, qualità e di tecnologia avanzata.

SOLUZIONE

Si sono resi i colori tradizionali giallo e blu IP più brillanti e di impatto. Si è inoltre aggiunto il colore argento metallizzato per creare un effetto più dinamico. Tre gli elementi cardine delle nuove stazioni: totem, fascia, segnaletica. I nuovi totem hanno forma di una vela per un effetto più aerodinamico. La fascia di coronamento pensilina ed edifici circostanti ha forma concava a guscio che garantisce una perfetta manutenzione ordinaria. La segnaletica è caratterizzata da nuovi pittogrammi che suggeriscono modernità.

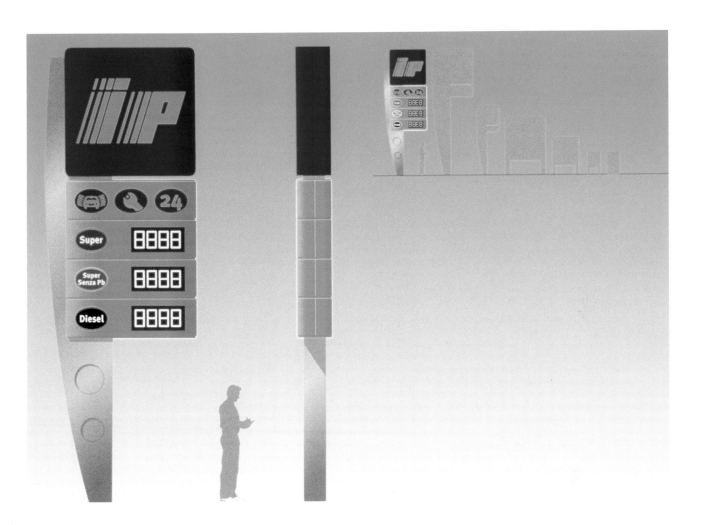

CLIENT

IP Italiana Petroli

CONTEXTE

Réactualiser l'image des distributeurs d'essence des 3500 stations présentes en Italie. L'objectif du projet était de garantir la capacité de rendement et transmettre une image de modernité, de qualité et de technologie avancée.

RESULTAT

Le jaune et le bleu de l'IP ont été conservés mais avec des tons plus vifs pour renforcer l'impact, alors que la couleur argent métallisé a été ajoutée pour créer un effet plus dynamique. Le totem en forme de voile donne un effet plus aérodynamique. Pour rendre la bordure plus moderne sans graver sur les coûts, une structure concave éclairée a été appliquée sur les côtées les plus en saillie du toit de la station. Parallèlement à la route, on a appliqué un revêtement argenté avec motifs circulaires, simple et plus économique. La signalétique a été conçue avec de caractères typographiques plus modernes.

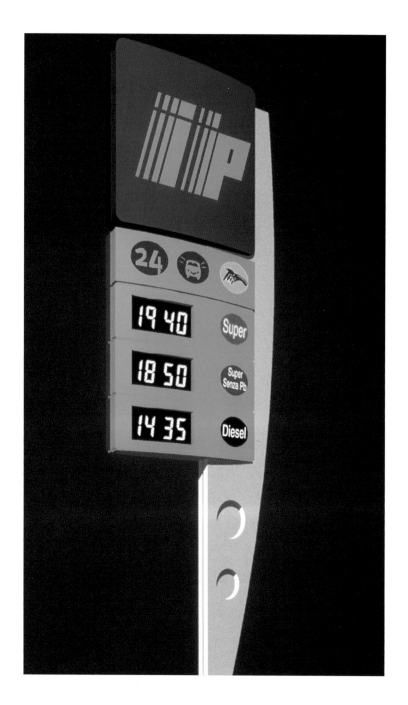

ABCDEFGHIJKLMNOPQRSTUVWXYZ
abcdefghijklmnopqrstuvwxyz
1234567890&,.

ABCDEFGHIJKLMNOPQRSTUVWXYZ
abcdefghijklmnopqrstuvwxyz
1234567890&,.

ABCDEFGHIJKLMNOPQRSTUVWXYZ
abcdefghijklmnopqrstuvwxyz
1234567890&,.

ALFABETO - META PLUS BOLD
ALPHABET - META PLUS BOLD

I.P.
RETRO-FIT

INSEGNA - h. 2.1 mt   I.P.

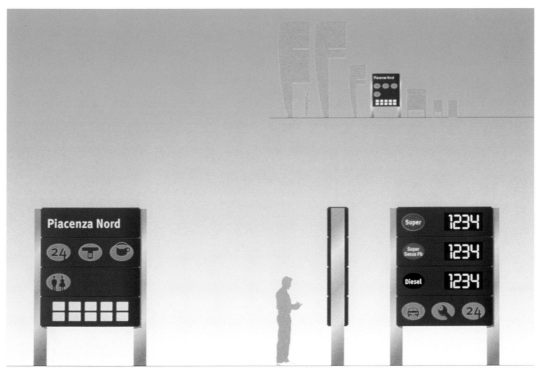

INSEGNA - h. 3.2 mt   I.P.

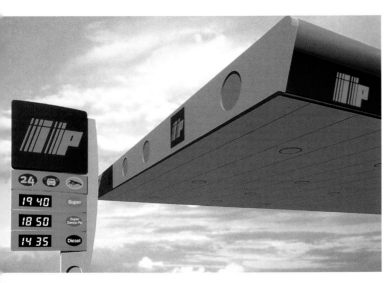

Fai Da Te

CLIENT

IP

BRIEF

To design the identity for the introduction of self-service petrol pumps across Italiana Petroli's 350 petrol stations.

SOLUTION

The launch of a system where self-service pumps exist alongside serviced pumps needed an identity to demarcate clearly where each system is operating. The result was a dark blue logo on a pale blue background reading 'do it yourself' in Italian, and a hand mimicking the action of filling a vehicle with petrol. It also clearly points to the pump. To draw further attention to the pumps where self-service is in operation, the structure column of the canopy is pale blue and white striped.

CLIENTE

IP

BRIEF

Studiare un'immagine coordinata per l'introduzione di pompe di benzina self-service in tutte le 3500 stazioni della IP.

SOLUZIONE

Il lancio di un sistema che porta alla compresenza di pompe self-service accanto a quelle col benzinaio imponeva l'impiego di un'immagine che delimitasse con chiarezza la zona dove ciascun sistema era in funzione. Il risultato è un logo blu scuro su sfondo azzurro chiaro, con la scritta «Fai da te» e una mano che mima l'azione di versare la benzina nel serbatoio. La mano indica anche chiaramente la pompa dove è in funzione il self service, sulla quale si attira l'attenzione anche grazie alla colonna che sostiene la tettoia, che è dipinta in azzurro a righe bianche.

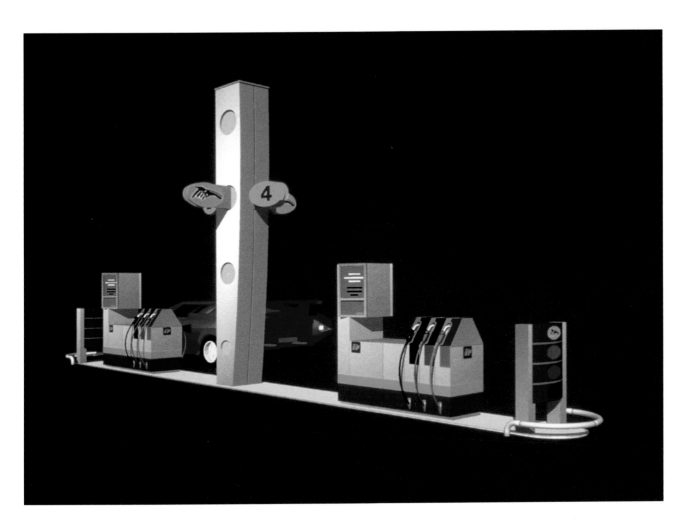

CLIENT

IP

CONTEXTE

Créer l'identité visuelle pour l'introduction de pompes à essence self-service dans les 3500 distributeurs d'essence IP.

RESULTAT

Le lancement d'un système qui entraînera la présence contigüe de pompes self-service et de pompes avec pompiste imposait le choix d'une image capable de délimiter clairement l'emplacement de chacune d'elles. Le résultat est un logo bleu foncé sur fond bleu ciel, avec l'inscription ''Servez-vous'' en italien, et une main mimant l'action de verser de l'essence dans le réservoir. La pompe self-service est clairement signalée et attire l'attention grâce entre autre à la colonne de support de la marquise, couleur bleu ciel avec lignes blanches.

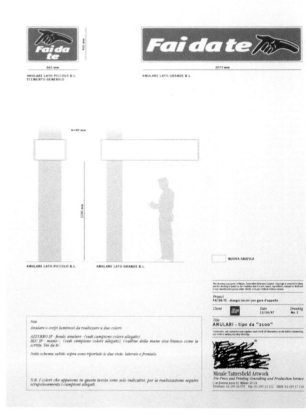

Liège Airport

CLIENT

Liège Airport

BRIEF

Liège Airport wanted to be recognised as an efficient alternative for transporting merchandise. In order to achieve this, a strong, original visual identity was required to act as the standard for the airport.

SOLUTION

A simple graphic solution: the 'L' of Liège is hand-scripted and surrounded by brackets to symbolise both the demarcation of air space and the central location of the airport. The identity is applied throughout, from signage to stationery.

D

CLIENTE

Liège Airport

BRIEF

L'Aeroporto di Liegi voleva essere visto come un'alternativa economica ed efficace per il trasporto merci. A tale scopo serviva un'immagine originale, che operasse come standard in tutto l'aeroporto.

SOLUZIONE

Una semplice soluzione grafica, in cui la «L» di Liège è scritta a mano e messa tra parentesi, per simbolizzare tanto la demarcazione dello spazio aereo quanto la posizione centrale dell'aeroporto. L'immagine è applicata in modo coordinato dappertutto: dalla segnaletica alla carta intestata.

CLIENT

L'Aéroport de Liège

CONTEXTE

L'Aéroport de Liège souhaite être connu et reconnu comme une alternative efficace pour les transports de marchandises. Pour se faire, il a voulu une identité visuelle forte et originale, étendard de la nouvelle communication de l'Aéroport.

RESULTAT

Un graphisme simple : le «L» de Liège apparait dans un style calligraphique et est entouré de parenthèses symbolisant la délimitation de l'espace aérien et la position centrale de l'aéroport. L'identité a été appliquée à l'ensemble de l'aéroport, de la signalétique à la papeterie.

Afriquia Petrol Station

CLIENT

Afriquia

BRIEF

Afriquia, the leading Morrocan petrol retailer, wanted to consolidate their market position with a new visual identity and concepts for a 'station of the future'. This station was to comprise not only the petrol forecourt but a complete range of services including a boutique, restaurant and repair centre. An updated design which capitalised on the key equities of the old identity was required.

SOLUTION

The designs focus on a new, more dynamic identity with a greater visual impact, a distinctive station canopy and the creation of 3 new signs: Oasis Café, MiniBrahim and Rapid'auto.

CLIENTE

Afriquia

BRIEF

Afriquia è la principale società distributrice di prodotti petroliferi del Marocco e voleva una nuova immagine visuale e nuovi concetti per un 'distributore di benzina del futuro', in modo da consolidare la propria posizione sul mercato. Il distributore doveva comprendere non solo la piazzola con le pompe della benzina, ma anche una serie completa di servizi: una boutique, un ristorante e un'officina di riparazioni. Occorreva un design moderno, che facesse però tesoro degli aspetti positivi dell'immagine precedente.

SOLUZIONE

Le soluzioni puntano su un'immagine nuova, più dinamica, con un più forte impatto visivo, un'originale copertura del distributore e la creazione di tre nuove insegne: Oasis Café, MiniBrahim e Rapid'auto.

CLIENT

Afriquia

CONTEXTE

Afriquia, premier réseau pétrolier du marocain, souhaitait revoir entièrement son positionnement et le matérialiser au travers d'une nouvelle identité visuelle et d'un nouveau concept architectural pour des 'stations du futur' comprenant une zone de distribution d'essence mais également une offre complète de services: boutique, restaurant et atelier réparation. Ces nouveaux concepts se devaient résolument modernes tout en capitalisant sur les acquis de l'ancienne identité.

RESULTAT

Le nouveau concept se traduit par une nouvelle identité Afriquia, plus dynamique et possédant un fort impact visuel, un dessin particulier de l'auvent des stations et la création de trois nouvelles enseignes : Oasis café, MiniBrahim et Rapid'auto.

Transpole	

CLIENT

Transpole

BRIEF

To take advantage of the launch of the newly modernised tramway and the opening of the metro station , 'Gare Lille Europe', the Lille Urban Transport Department (TTC) decided a change of image would communicate their aim to create a first class public transport system.

SOLUTION

'Trans' symbolises network, as well as the notion of crossing. 'Pole' symbolises the idea of attraction, a point of convergence and a large city. The logotype evokes speed, and a friendly service. The three colours were retained - green to evoke the large number of rural districts. The yellow and red, colours of Flanders, create continuity with the old tickets and the TCC mascot and produce a bright and warm logotype. This updated identity creates visual coherence for the three modes of transport (bus, metro, tramway) which fall under the TCC management.

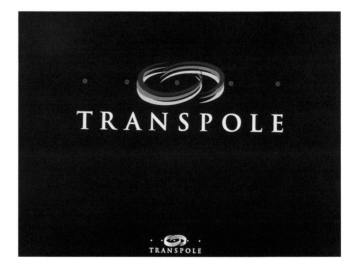

CLIENTE

Transpole

BRIEF

Per sfruttare il lancio di una nuova e più moderna linea tranviaria e l'apertura della stazione della metropolitana «Gare Lille Europe», l'azienda dei trasporti municipali di Lilla (TCC) aveva deciso che una nuova immagine dovesse comunicare il proprio obiettivo: la realizzazione di un sistema di trasporti pubblici di primissima qualità.

SOLUZIONE

«Trans» simbolizza una rete e anche il concetto di attraversamento, «Pole» l'idea di attrazione, di convergenza, di centro metropolitano. Il logotipo evoca movimento, velocità ed esprime le caratteristiche di cordialità del servizio. Si sono mantenuti i tre colori originali: il verde che rimanda al gran numero di centri rurali, il giallo e il rosso, colori delle Fiandre rendono il logotipo brillante e caldo. La nuova immagine assicura una continuità visiva tra i tre mezzi di trasporto della rete (autobus, metro e tram),continuità che era andata scomparendo durante la gestione TCC.

Transpole

CLIENT

Transpole

CONTEXTE

Profitant de l'opportunité du lancement de son nouveau tramway modernisé et de l'ouverture de la station de métro "Gare Lille Europe", les Transports en Commun de la Communauté Urbaine de Lille (TTC) ont décidé de mieux communiquer leur mission de service public en changeant d'image.

RESULTAT

"Trans" évoque le réseau ainsi que la notion de traversée. "Pole" évoque l'idée d'attraction, de convergence et de grande ville. Le logotype, quant à lui, évoque, vitesse, et convivialité. Trois couleurs institutionnelles ont été retenues. Le vert, pour évoquer la grande majorité de communes rurales. Le jaune et le rouge, enfin, couleurs des Flandres apportant chaleur et gaieté au logotype. Cette identité plus moderne apporte une cohérence visuelle aux trois modes de transport (bus, métro, tramway) gérés par TCC.

Thai Oil

CLIENT

Thai Oil

BRIEF

In late 1995 Thai oil commissioned Minale, Tattersfield & Acton to update its corporate identity and to develop a completely new retail identity plus a new filling station design for their proposed retail network in Thailand. Building on its existing position as a well respected, technologically advanced company, Thai Oil wanted its retail network to be positioned as a quality modern retailer of international stature.

SOLUTION

Thai Oil had been using a rhinoceros as a promotional mascot and wished to maintain and build on that equity, so the image was developed by Minale Tattersfield & Acton, abstracting the rhino horns to form a dynamic modern symbol which also evokes the energy flame of the refinery. A guideline manual was also produced for all corporate applications from stationery to the livery for the Thai Oil fleet ships. The new station design combines the corporate and retail image into fully integrated 2D/3D solutions giving continuity and coherence to all of Thai Oil's operations.

CLIENTE

Thai Oil

BRIEF

Alla fine del 1995 la Thai Oil aveva commissionato a Minale Tattersfield & Acton un ammodernamento della propria immagine coordinata e lo sviluppo di un'identità completamente nuova dei punti vendita, oltre al progetto per una nuova stazione di rifornimento per la rete di distributori prevista per la Thailandia. Partendo dalla propria posizione di azienda rinomata e tecnologicamente avanzata, la Thai Oil voleva posizionare la propria rete di distribuzione del carburante dando un' immagine di azienda moderna, di qualità e di livello internazionale.

SOLUZIONE

Come mascotte per la promozione la Thai Oil aveva utilizzato un rinoceronte e desiderava conservare e sviluppare questo elemento di forza. L'immagine sviluppata dalla Minale, Tattersfield & Acton è stata perciò realizzata estrapolando le corna del rinoceronte per formare un simbolo moderno, di grande forza e dinamicità, che evoca anche la fiamma di una raffineria. Il nuovo progetto per le stazioni di servizio coniugava l'immagine coordinata e quella dei punti vendita in soluzioni integrate bi e tridimensionali che assicuravano continuità e coerenza a tutte le attività dell'azienda.

CLIENT

Thai Oil

CONTEXTE

Vers la fin de 1995, Thai Oil commissionna à Minale Tattersfield & Acton une réactualisation de son système d'identification visuelle avec le développement d'une image entièrement nouvelle pour ses points de vente et le projet pour une nouvelle station service destinée au réseau de distribution thaïlandais. Sur la base de sa position actuelle, comme entreprise renommée et technologiquement avancée, Thai Oil désirait positionner son réseau de distribution de carburant en donnant une image d'entreprise moderne, de qualité et de niveau international.

RESULTAT

Comme mascotte pour la promotion, Thai Oil avait utilisé un rhinocéros et désirait conserver et développer cet élément de force. Le logotype a donc été réalisé par Minale, Tattersfield & Acton en reprenant les cornes du rhinocéros pour former un symbole moderne, fort et dynamique, évoquant aussi la flamme d'une raffinerie. Les nouvelles stations service utilisent le même SIV pour créer des solutions 2D/3D complètement intégrées, réalisant une continuité avec toutes les activités de Thai Oil.

Elinoil	

CLIENT

Elinoil, Greece

BRIEF

To rebrand the network of 350 petrol stations. The design should reflect the company's Greek origins and its friendly approach.

SOLUTION

The two bands of blue from the old identity were retained but brightened for a more modern and vibrant effect. The extensive use of white emphasises the clean, sweeping lines. The colours reflect the sea and sky and also the colours used in the island architecture. This animated design includes a white sail with a pennant at its top doubling as the accent of Elin. The designs are created on a modular system which can be applied to the existing station structure. A single logo panel can be applied to the canopy whatever its size providing complete versatility.

CLIENTE

Elinoil, Grecia

BRIEF

Aggiornare l'immagine di una rete di 350 stazioni di rifornimento. Il design doveva rispecchiare l'origine greca dell'azienda e il suo atteggiamento cordiale.

SOLUZIONE

Le due righe blu della precedente immagine restano, ma sono rese più brillanti per dare un effetto più moderno e vivace. I colori richiamano quelli del cielo e del mare, e anche quelli impiegati per l'intonaco delle case sulle isole. Il disegno pieno di movimento comprende una vela bianca col pennone che si sdoppia in cima per formare l'accento di Elin. Il tutto serve a realizzare un sistema modulare, applicabile all'attuale struttura delle stazioni di servizio. Un unico pannello con il marchio è applicabile alla tettoia di qualunque formato e assicura così una completa adattabilità.

CLIENT

Elinoil, Grèce

CONTEXTE

Refaire le logotype d'un réseau de 350 stations service. Le dessin devait refléter l'origine grecque de la société et son attitude cordiale.

RESULTAT

Les deux lignes bleues de l'image précédente sont conservées mais sont rendues plus brillantes pour donner un effet plus vif et moderne. Les couleurs rapellent le ciel et la mer mais aussi les maisons colorées des îles. Le dessin très animé comprend une voile blanche avec en haut un pavillon qui se double pour former l'accent d'Elin. L'ensemble sert à réaliser un système modulaire applicable à l'actuelle structure des stations service. Un seul panneau avec le logo suffit pour toutes les toitures, quelques soient leurs dimensions; Il offre donc l'universalité maximum.

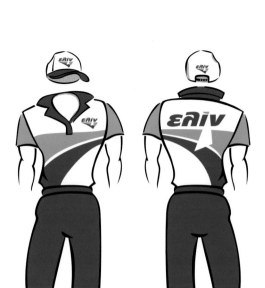

ELINOIL S.A.
3, Ierou Lohou Str.,
151 24 Maroussi
Greece
Tel ++30 1 6187 560
Fax ++30 1 6187 569
Telex 21 5453

ELINOIL S.A.
3, Ierou Lohou Str.,
151 24 Maroussi
Greece
Tel ++30 1 6187 560
Fax ++30 1 6187 569
Telex 21 5453

Nikolaos Bazionis
Marketing Manager

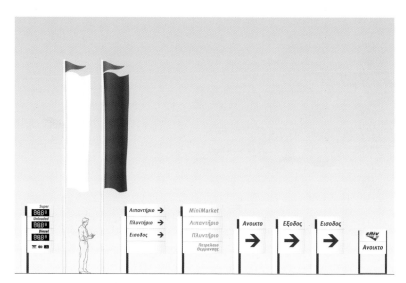

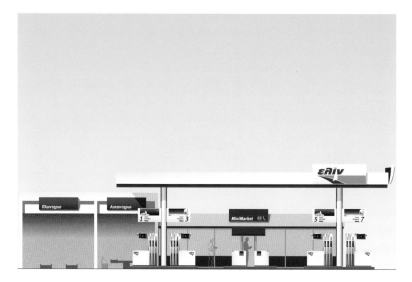

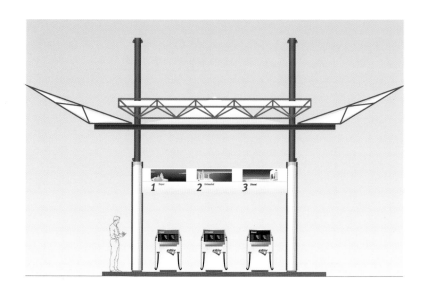

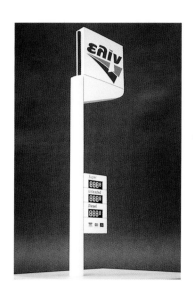

INTERACTIVE DESIGN

The limits of interactive multimedia are set only by our imagination. Stepping out of the boundaries of flat, static graphics, we enter into a world of heightened sensory potential and communication.

I limiti dell'interattività del multimediale sono solo quelli della nostra fantasia. Con la possibilità di superare i confini di una grafica bidimensionale e statica, riusciamo a penetrare in un universo che offre maggiori potenzialità di comunicazione e di stimolazione dei sensi.

Les limites de l'interactivité de l'environnement multimédia n'existent que dans notre imagination. La possibilité de dépasser les frontières d'un graphisme bidimensionnel et statique nous permet de pénétrer dans un univers disposant d'un très fort potentiel de communication et de stimulation des sens.

CHAPTER FIVE

Contents

(D) Design proposals which contributed to the chosen design.

Proposte servite per la scelta di una soluzione.

Propositions de design ayant conduit à la solution choisie.

(B) The design before alterations made by Minale Tattersfield.

Design prima dell'intervento di Minale Tattersfield.

Design avant l'intervention de Minale Tattersfield.

NatWest CD

CLIENT

NatWest Bank

BRIEF

To design the promotional material for the new Card Plus Account for 13-20 year-olds and the packaging for a free CD which was to act as an incentive to open an account. NatWest wanted to create an exciting vibrant campaign in the branches with a youthful appeal.

SOLUTION

Lime green, orange and yellow were chosen, the season's 'in' colours. A key element of the project was the product branding built around the added incentive of a CD on opening an account. This created the pretext for the play on words, "Make a sound move", using not only the colloquialism of 'sound' meaning 'good', 'reliable' but also identifying the free gift.

CLIENTE

NatWest Bank

BRIEF

Realizzare il materiale di promozione per il nuovo conto Card Plus destinato a ragazzi e ragazze tra i 13 e 20 anni e la copertina di un CD in omaggio che doveva servire da incentivo all'adesione. NatWest voleva creare all'interno delle sue filiali qualcosa di vivace che facesse presa sui giovani.

SOLUZIONE

I colori scelti sono stati quelli "in" della stagione: verde lime, arancione e giallo. Un elemento fondamentale del progetto era il branding costruito intorno all'offerta di un CD per i sottoscrittori del conto. C'è stata così la possibilità di giocare sulle parole dello slogan "Make a sound move" ("Fai una mossa sicura") - dato che sound significa sia "sicuro, affidabile" sia "suono, musica".

CLIENT

NatWest Bank

CONTEXTE

Concevoir le matériel de promotion pour le nouveau compte Card Plus destiné aux jeunes filles et jeunes garçons âgés de 13 à 20 ans et créer la couverture d'un CD offert en cadeau aux nouveaux titulaires de compte, en vu d'encourager l'adhésion. NatWest voulait créer dans ses filiales quelque chose de stimulant capable séduire les jeunes.

RESULTAT

Les couleurs choisies étaient à la mode lors de la campagne: vert lime, orange et jaune. Un élément clé du projet était l'image de produit construite autour de l'offre d'un CD réservé à tous ceux qui auraient ouvert un compte. Ainsi a-t-on pu jouer sur les mots du slogan "Make a sound move" (Fais le bon pas) - où sound veut dire aussi bien "sûr, solvable" que "son, musique".

NatWest Website

CLIENT

NatWest Bank

BRIEF

To design a website for two 24 hour telephone banking services, Actionline and Primeline. The Actionline intranet site is designed to attract new recruits to the telephone banking service attached to current accounts. Primeline is a separate centralised, telephone operated account.

SOLUTION

The predominantly black Actionline branding needed to be adapted to work well both on screen and for printouts, whilst remaining easily recognisable as the same Actionline advertised in branches. A user guide and application form was added making the site a useful tool. The Primeline site is clear and easily navigable, with information and benefits on the service and another page giving feedback. This fully comprehensive service does not need user information, but also has an on-screen application form.

Actionline

Primeline

CLIENTE

NatWest Bank

BRIEF

Progettare un sito web per Actionline e Primeline, i servizi bancari in linea in funzione 24 ore su 24. Il primo incarico riguardava il progetto di un sito per la rete interna, un sistema informatico aziendale riservato ai dipendenti, per attirare nuove adesioni ad Actionline, il servizio bancario telefonico collegato ai conti correnti.

SOLUZIONE

Il marchio prevalentemente nero di Actionline imponeva una modifica, per evitare stampate troppo costose, ma doveva restare facilmente riconoscibile come quello del servizio Actionline reclamizzato nelle varie filiali della banca. Il sito adotta dappertutto uno sfondo bianco. Si sono anche inserite la guida utente e il modulo di richiesta che lo rendono un strumento utile per la clientela. Il sito Primeline è chiaro e facilmente navigabile. Vi si forniscono informazioni sui vantaggi del servizio e una seconda pagina serve per il feedback. È un servizio completo, che non richiede informazioni per l'utente ma ha anch'esso una schermata col modulo di richiesta.

CLIENT

NatWest Bank

CONTEXTE

Créer un site web pour Actionline et Primeline, les services bancaires téléphoniques disponibles 24 heures sur 24. La première étude concernait le projet d'un site pour le réseau interne, un système informatique réservé aux employés, en vue d'attirer de nouveaux adeptes du service bancaire téléphonique relié aux comptes courants, Actionline.

RESULTAT

Le bloc-marque esentiellement noir d'Actionline avait besoin d'une refonte pour limiter les coûts d'impression, mais on devait aussi continuer à le reconnaitre aisément comme le service réclamisé dans les filiales. Le site utilise partout un fond blanc. Le guide pour l'utilisateur et le formulaire contribuent à en faire un outil très utile. Le site Primeline est clair et navigable aisément. Il fournit des renseignements sur les avantages du service et une seconde page sert pour le feedback. C'est un service complet auquel l'utilisateur peut accéder sans instructions supplémentaires mais il dispose d'une page-formulaire.

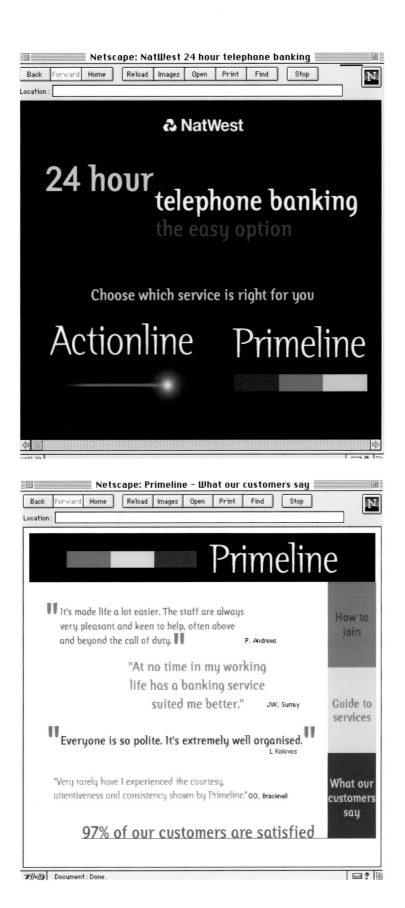

Northern Foods Website

CLIENT

Northern Foods

BRIEF

To design the company's website.

SOLUTION

All information contained within the site is divided into 3 principal categories: 'Key Facts', 'Financial Information' and 'Graduate Recruitment'. Sub-categories enable the user to retrieve information quickly and efficiently. The central theme is food, and simple icons, graphics and animation create an appealing visual language. The stars from the brand logo are also used to aid navigation around the site. When the site went live, there were nearly 40,000 visitors. The site is updated regularly to encourage the user to return.

CLIENTE

Northern Foods

BRIEF

Progettare un sito web per la società.

SOLUZIONE

Tutte le informazioni inserite nel sito si dividono in tre categorie: "Fatti centrali", "Informazioni economiche", e "Assunzione di specialisti". Alcune sottocategorie consentono a chi visita il sito di trovare le informazioni che cerca in modo rapido e pratico. Il tema centrale è l'alimentazione, con semplici icone, una grafica e un'animazione che formano un linguaggio visivo pieno di attrattive. Le stelle che fanno parte del logotipo servono anche per assistere la navigazione nel sito.

CLIENT

Northern Foods

CONTEXTE

Concevoir un site web pour la société.

RESULTAT

Toutes les informations introduites dans le site sont réparties dans trois groupes. "Faits fondamentaux", "Informations économiques" et "Embauche de spécialistes". Certains sous-groupes permettent aux internautes de trouver aisément les informations qu'ils recherchent en très peu de temps. Le thème central est l'alimentation qui est représentée par de simples icônes, un graphisme et une animation qui constituent un langage visuel très attractif. Les étoiles faisant partie du bloc-marque servent aussi à assister la navigation à travers le site.

Back | Forward | Home | Reload | Images | Open | Print | Find | Stop | N

Netsite:

Our Products   ☆ Principal Operations

Convenience   Meat Products   Grocery

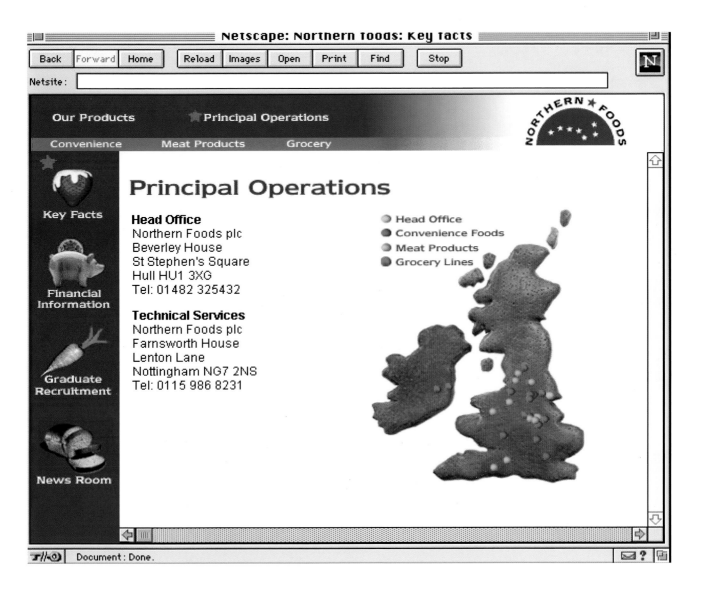

Key Facts

Financial Information

Graduate Recruitment

News Room

Principal Operations

Head Office
Northern Foods plc
Beverley House
St Stephen's Square
Hull HU1 3XG
Tel: 01482 325432

Technical Services
Northern Foods plc
Farnsworth House
Lenton Lane
Nottingham NG7 2NS
Tel: 0115 986 8231

○ Head Office
● Convenience Foods
○ Meat Products
● Grocery Lines

Document: Done.

I.M.S. NOVA

CLIENT

NatWest Bank

BRIEF

To design the pack for an internet access and security system to enable multi-currency merchant clients to access account data on the Internet whilst protecting the information.

SOLUTION

A pack with a global appeal was required for a world-wide market. The name 'Nova', a star which brightens suddenly, is reflected in the design - a black starlit background with a single star outshining the rest. The product name in a simple typographical style is highlighted on this background in white. A globe replaces the letter 'o'. This futuristic pack suggests groundbreaking technology and a new era of customer service.

CLIENTE

NatWest Bank

BRIEF

Disegnare un accesso internet con sistema di sicurezza che consenta alla clientela con un'attività commerciale multivalutaria di accedere ai dati del proprio conto su Internet e a mantenere riservate le informazioni.

SOLUZIONE

Occorreva una soluzione in grado di offrire un richiamo in tutto il mondo, essendo destinata al mercato internazionale. Il nome "Nova" una stella che risplende improvvisamente, si rispecchia nel disegno: uno sfondo nero stellato con una stella singola che eclissa tutto il resto col suo splendore. Il nome del prodotto è presentato con una semplice soluzione tipografica, evidenziata in bianco sullo sfondo. Un globo sostituisce la lettera "o". Questa presentazione futuribile trasmette un' immagine di una tecnologia innovativa e di una nuova era per i servizi alla clientela.

CLIENT

NatWest Bank

CONTEXTE

Dessiner un accès Internet avec système de sécurité permettant aux entreprises commerciales multimonétaires de consulter leur compte sur Internet, et de protéger les informations.

RESULTAT

La solution devait avoir une force attractive sur le monde entier dans la mesure où le site s'adressait au marché international. Le nom "Nova", une étoile qui brille à l'improviste, se reflète dans le dessin: un fond noir étoilé avec une étoile qui toute seule éclipse tout le reste par sa splendeur. Le nom du produit est présenté par une simple solution typographique, mise en valeur en blanc sur le fond noir. Un globe remplace la lettre "o". Cette représentation futuriste transmet l'image d'une technologie innovatrice et d'une nouvelle ère pour les services à la clientèle.

Bull Website

CLIENT

Bull

BRIEF

To design an on-screen information service for Comdex computer exhibition.

SOLUTION

An informative and user friendly service promoting a combination of Bull's technological expertise and Minale Tattersfield's design skills for potential clients requiring a new website.

CLIENTE

Bull

BRIEF

Disegnare un servizio di informazioni a schermo per la mostra dell'informatica Comdex.

SOLUZIONE

Un servizio informativo e semplice da usare che promuove nello stesso tempo le competenze tecniche della Bull e le capacità progettuali di Minale Tattersfield, per i potenziali clienti che desiderano un sito web.

CLIENT

Bull

CONTEXTE

Dessiner un site pour un service d'informations vidéo sur l'exposition d'ordinateurs Comdex.

RESULTAT

Un service d'informations facile à consulter et qui, dans le même temps, divulgue les compétences techniques de Bull et les capacités créatives de Minale Tattersfield, pour les potentiels clients désirant ouvrir un site web.

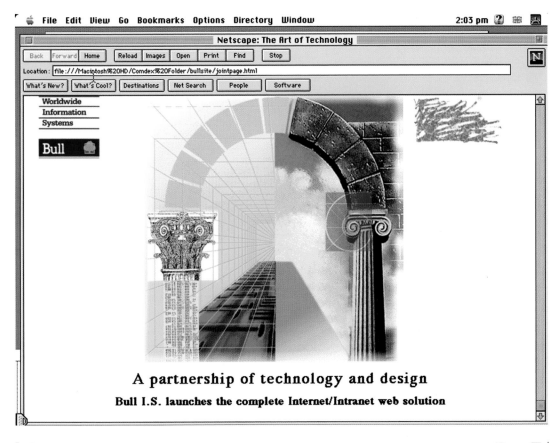

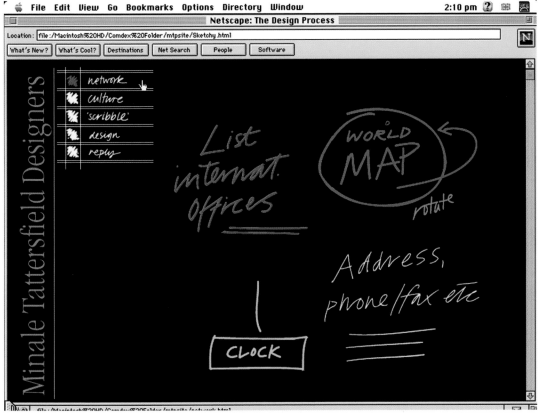

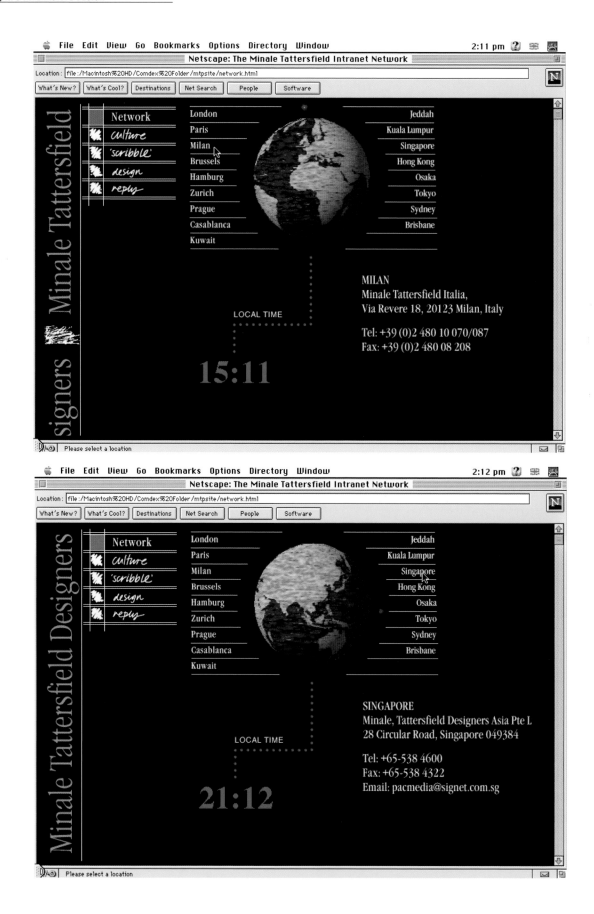

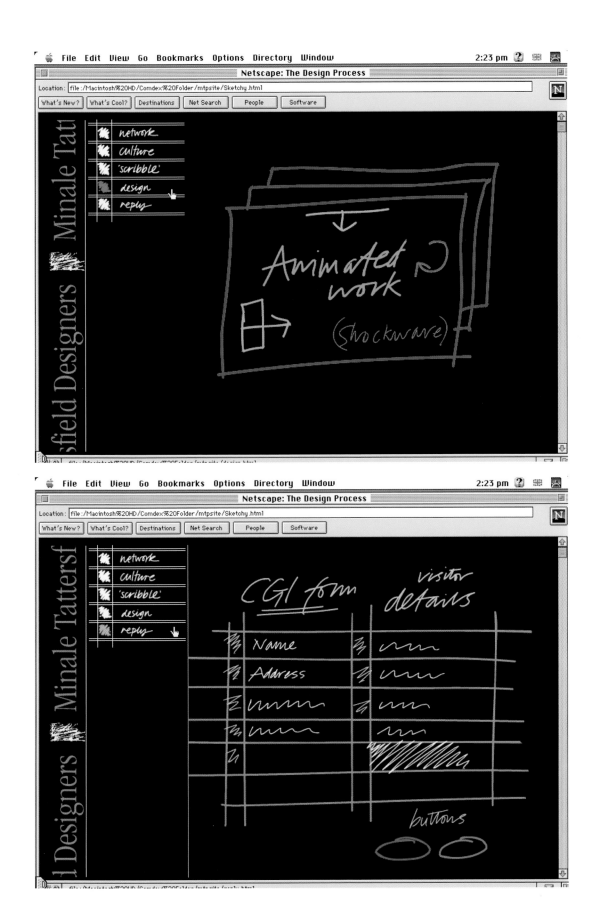

Multimedia Diffusion Service

CLIENT

Hachette Livre

BRIEF

MDS is a subsidiary of Hachette Livre created specifically to distribute the group's multimedia software. The company wanted a simple but dynamic identity, immediately recognisable by retailers.

SOLUTION

A black square which suggests a computer disk in which the three company initials and a pictogram of a CD-Rom appear.

MULTIMEDIA

DIFFUSION

SERVICES

CLIENTE

Hachette Livre

BRIEF

La MDS è una filiale di Hachette Livre, appositamente creata per la distribuzione del software multimediale del gruppo. La società voleva un'immagine semplice ma dinamica, che fosse immediatamente riconoscibile dai negozianti.

SOLUZIONE

Un quadrato nero, che richiama un dischetto da computer, in cui compaiono la sigla della società e il pittogramma di un CD-ROM.

CLIENT

Hachette Livre

CONTEXTE

MDS est une filiale d'Hachette Livre créée spécifiquement pour distribuer les produits multimédias du groupe. Il leur fallait une marque simple ayant un fort impact afin d'être immédiatement reconnaissable par les distributeurs.

RESULTAT

Un carré noir rappelant une disquette informatique dans lequel s'inscrit trois initiales en couleurs et le pictogramme d'un CD Rom.

MULTIMEDIA

DIFFUSION

SERVICES

www.mintat.co.uk

CLIENT

Minale Tattersfield Design Strategy

BRIEF

To design the company's website.

SOLUTION

An informative and user friendly site designed to capture the imagination of clients and students alike. Past and present projects are detailed in clearly defined categories to ensure easy navigation around the site. Useful information and contacts are included for the various offices worldwide and each office is accompanied by a visual specific to that office - for example, click on London and the Harrods logo appears. The site is regularly updated with the latest news and projects and this, together with the use of eye catching graphics and moving images encourages visitors to return to the site.

CLIENTE

Minale Tattersfield Design Strategy

BRIEF

Progettare il nuovo sito internet per la compagnia.

SOLUZIONE

Minale Tattersfield & Partners ha realizzato un sito internet informativo rivolto ai suoi clienti e agli studenti. Progetti del passato e presenti sono chiaramente descritti e facilmente reperibili nelle diverse categorie di navigazione. Il sito riporta inoltre interessanti informazioni a proposito dei diversi uffici sparsi nel mondo. Il sito è aggiornato regolarmente con gli ultimi lavori e le news più interessanti. La grafica del sito è accattivante, giovane ed utilizza immagini tridimensionali ed in movimento.

CLIENT

Minale Tattersfield Design Strategy

CONTEXTE

Concevoir le site web pour la société.

RESULTAT

Un service d'informations facile à consulter, dessiné pour captiver les potentiels clients comme les étudiants. Des projets anciens et actuels sont bien classés par catégories qui servent à assister la navigation à travers le site. L'information utile et des contacts de tous les bureaux mondiaux sont introduites et chaque bureau est accompagné d'un symbole bien choisi - par exemple, si on choisit Londres le bloc-marque de Harrods apparaît. Le site est mis à jour régulièrement de sorte à inciter les navigateurs à y revenir (aidé par un graphisme et une animation qui tirent l'œil).

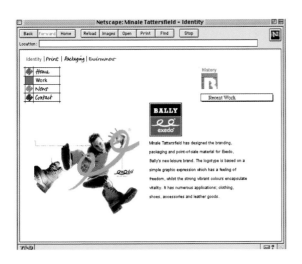

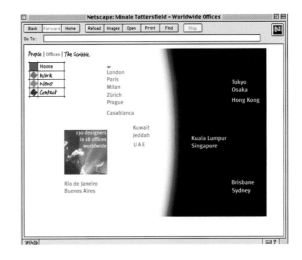

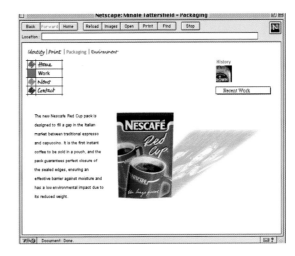

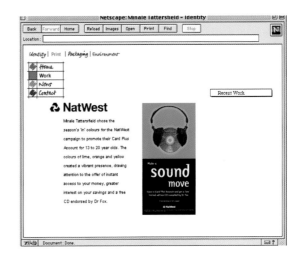

VARIOUS PROJECTS

A selection of projects which are difficult to categorise.

Una scelta di progetti difficilmente inseribili in una categoria.

Une sélection de projets difficilement classables dans une catégorie.

CHAPTER SIX

Contents

(D)————— Design proposals which contributed
to the chosen design.

Proposte servite per la scelta di una
soluzione.

Propositions de design ayant conduit
à la solution choisie.

(B)————— The design before alterations made
by Minale Tattersfield.

Design prima dell'intervento di Minale
Tattersfield.

Design avant l'intervention de Minale
Tattersfield.

Royal Armouries Museum

CLIENT

Royal Armouries Museum

BRIEF

To design the visual identity and sign system for the Royal Armouries Museum in Leeds.

SOLUTION

The identity is based on a grotesque horned helmet, the remains of a suit of armour belonging to Henry VIII. It embodies the qualities inherent in the collection being beautifully crafted but highly disturbing. Two granite columns embodying the mask in 3D greet visitors as they enter. Because of the simplicity of the building there is no conventional sign system. Instead, visitors are directed to the galleries by huge banners which hang the full height of the internal street. Floor directories are in the form of gigantic open books made of laminated beech and standing on tripods inspired by Renaissance carpentry.

ROYAL ARMOURIES MUSEUM

CLIENTE

Royal Armouries Museum

BRIEF

Disegnare l'immagine visuale e la segnaletica per il Royal Armouries Museum di Leeds.

SOLUZIONE

L'immagine si basa su di un elmo grottesco con le corna, quanto resta di un'armatura completa di Enrico VIII. Due colonne di granito con una maschera tridimensionale accolgono i visitatori all'ingresso. Data la semplicità dell'edificio, non esiste una vera e propria segnaletica. Al posto di questa, i visitatori sono guidati verso le sale da enormi bandiere che pendono per tutta l'altezza del tracciato interno. Sul pavimento le indicazioni sono date in forma di giganteschi libri aperti in legno di faggio laminato, che poggiano su tripodi ispirati all'artigianato rinascimentale.

CLIENT

Royal Armouries Museum

CONTEXTE

Dessiner l'identité visuelle et la signalétique pour le Royal Armouries Museum de Leeds.

RESULTAT

Le logotype se base sur l'image d'un casque grotesque avec des cornes, les restes d'une armure complète d'Henri VIII. Deux colonnes de granit avec un masque tridimensionnel accueillent les visiteurs à l'entrée. Vue la simplicité de l'édifice, il n'y a pas de véritable signalétique. À sa place, d'immenses pavillons, pendus sur toute la hauteur du parcours, dirigent les visiteurs vers l'escalier. Sur le sol, les indications sont données sous forme de gigantesques livres ouverts en contreplaqué de hêtre posés sur des trépieds s'inspirant de l'artisanat du bois de la Renaissance.

OPENED BY
HM
THE QUEEN
1996

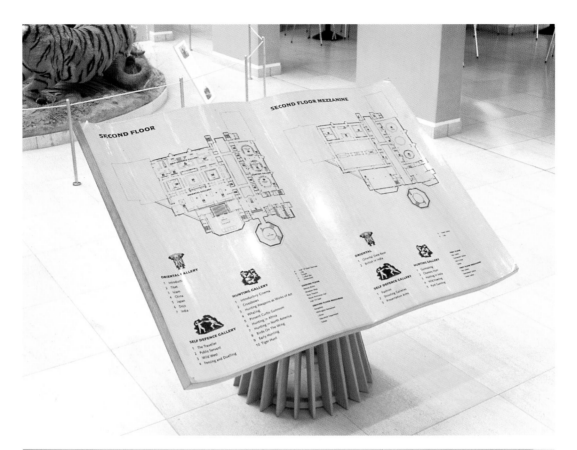

Principissimo	

CLIENT

Principe

BRIEF

To adapt the Principe logotype for a new range called Principissimo designed to target the young and fashionable. Also, to design a selection of bags to be included in this range - slightly outrageous in appearance but highly functional.

SOLUTION

Bright blue and yellow are introduced into the logotype when applied to the Principissimo range, to give it a more youthful appeal. The bags are produced in a wide variety of different shapes and sizes and incorporate a number of unusual materials such as mesh, plastic and transparent panels. Bright colours are contrasted with darker colours to make the bright colours appear more striking. A number of bags have a characteristic fan-shaped handle, while others close when the bag is placed on the shoulder causing the straps to tighten.

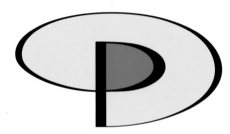

PRINCIPISSIMO
PER TUTTI

CLIENTE

Principe

BRIEF

Adattare il marchio Principe a una linea, che si chiama Principissimo, il cui target sono i giovani che amano essere alla moda. Inoltre progettare un assortimento di borse da inserire in questa stessa linea - sono realizzate in modo da avere non solo un aspetto originale ma anche funzionale.

SOLUZIONE

Quando si utilizza il marchio per la linea Principissimo, vi si inseriscono un azzurro brillante e un giallo, in modo da conferirgli un tocco più giovanile. Le borse sono prodotte in un'ampia varietà di forme e misure e con l'impiego di materiali piuttosto insoliti, come la maglia e la plastica colorata o trasparente. I colori brillanti sono accostati ad altri più tenui, che fanno risaltare di più i primi. Alcune borse hanno caratteristici manici a ventaglio, mentre altre hanno cinghie che si stringono quando si mette la borsa sulle spalle.

CLIENT

Principe

CONTEXTE

Adapter le logotype Principe à une ligne appelée Principissimo, dont la cible est le public des jeunes qui suivent la mode de près très voyant mais restent extrêmement fonctionnels.

RESULTAT

Pour la ligne Principissimo, deux couleurs ont été ajoutées au logo d'origine: le bleu ciel brillant et le jaune qui ont un plus grand pouvoir d'attraction sur les jeunes. Les nouveaux sacs sont fabriqués dans une vaste gamme de formes et de dimensions et avec des matériaux assez insolites, comme le tricot et le plastique coloré ou transparent. Les couleurs brillantes sont juxtaposées à des couleurs foncées de sorte à valoriser les premières. Certains sacs ont des manches caractéristiques en éventail, d'autres sont munis de courroies qui se serrent quand on les porte en sac à dos.

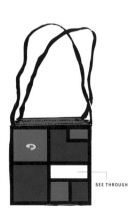

SEE THROUGH

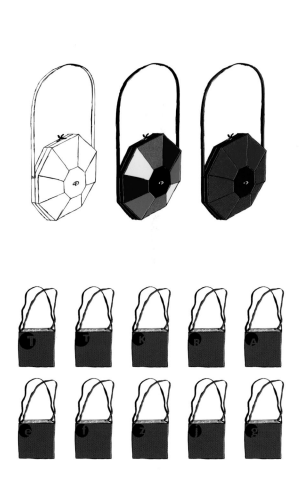

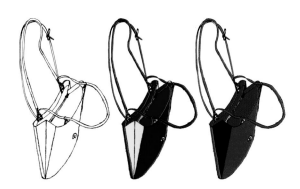

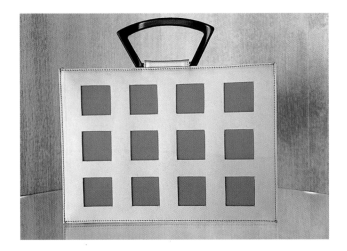

Bluewater

CLIENT

Lend Lease Projects

BRIEF

To design concepts for the signage for Bluewater Shopping Centre in Kent, including traffic, pedestrian, building and architectural signage.

SOLUTION

The shopping centre, built in a disused chalk quarry, aims to create the atmosphere of a medieval village located in a hidden valley. Designs for the signage, carried out in collaboration with Minale Tattersfield Bryce, our Australian partner, originate from the concept of Kent as the garden of England, with inspiration being drawn from local flora and fauna, architecture and heraldic symbols and imagery. A system of colour coding and visual themes facilitates easy orientation around the vast complex.

Bluewater
KENT

CLIENTE

Lend Lease Projects

BRIEF

Elaborare i concetti per la segnaletica del Bluewater Shopping Centre del Kent, relativa al traffico stradale, ai percorsi pedonali, agli edifici e all'architettura.

SOLUZIONE

Il centro commerciale, realizzato dove un tempo esisteva una cava di calcare poi dismessa, vuole ricreare l'atmosfera di un villaggio medievale situato in una vallata remota. Il design per la segnaletica, realizzato col nostro partner australiano, Minale Tattersfield Bryce, prende spunto dall'idea del Kent giardino dell'Inghilterra e s'ispira alla flora e alla fauna locale, così come all'architettura, alle insegne araldiche e alle leggende del posto. Un sistema di codici a colori e di temi visuali facilita l'orientamento in tutto il vasto complesso.

CLIENT

Lend Lease Projects

CONTEXTE

Elaborer les concepts pour la signalétique du Bluewater Shopping Centre du Kent, au niveau de la circulation routière, des circuits piétonniers, des édifices et de l'architecture.

RESULTAT

Le centre commercial, implanté à la place d'une ancienne carrière de calcaire désaffectée, veut recréer l'atmosphère d'un village médiéval situé dans une vallée secrète. La signalétique, conçue avec la collaboration de notre partenaire australien, Minale Tattersfield Bryce, auteur du concept du Kent comme jardin d'Angleterre et s'inspire de la flore et de la faune locale, ainsi que de l'architecture, des enseignes héraldiques et de la légende des lieux. Un système de codes de couleurs et de thèmes visuels aident à s'orienter dans tout le vaste complexe.

MARKS & SPENCER
Car Park 1

PEAR ORCHARD
Car Park 2

JOHN LEWIS EAST
Car Park 3

CHERRY ORCHARD EAST
Car Park 4

MOON COURT

WINTERGARDEN ARCADE

CRESCENT ARCADE

WINTERGARDEN

CINEMA VILLAGE

AaBbCcDdEeFfGgHhIiJjKkLlMmNnOoPpQqRrSsTtUuVvWwXxYyZz1234567890?,.

CHERRY ORCHARD WEST
Car Park 5

JOHN LEWIS WEST
Car Park 6

APPLE ORCHARD
Car Park 7

HOUSE OF FRASER
Car Park 8

SUN COURT

CANTERBURY ARCADE

STAR COURT

TOWN SQUARE

AaBbCcDdEeFfGgHhIiJjKkLlMmNnOoPpQqRrSsTtUuVvWwXxYyZz1234567890?,.

 John Lewis　　　　　 Wintergarden

 Marks & Spencer　　　 Cinema Village

 House of Fraser　　　 Town Square

 Car Park 1　　　　　 Car Park 8

 Customer Services　 　 Customer Services　

 Car Park 3　　　　　 Car Park 6

 Customer Services　 　 Customer Services　

 Wintergarden Arcade　 Canterbury Arcade

 Crescent Arcade

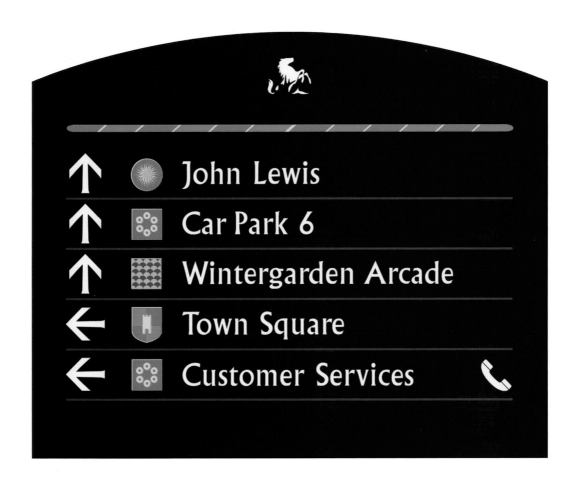

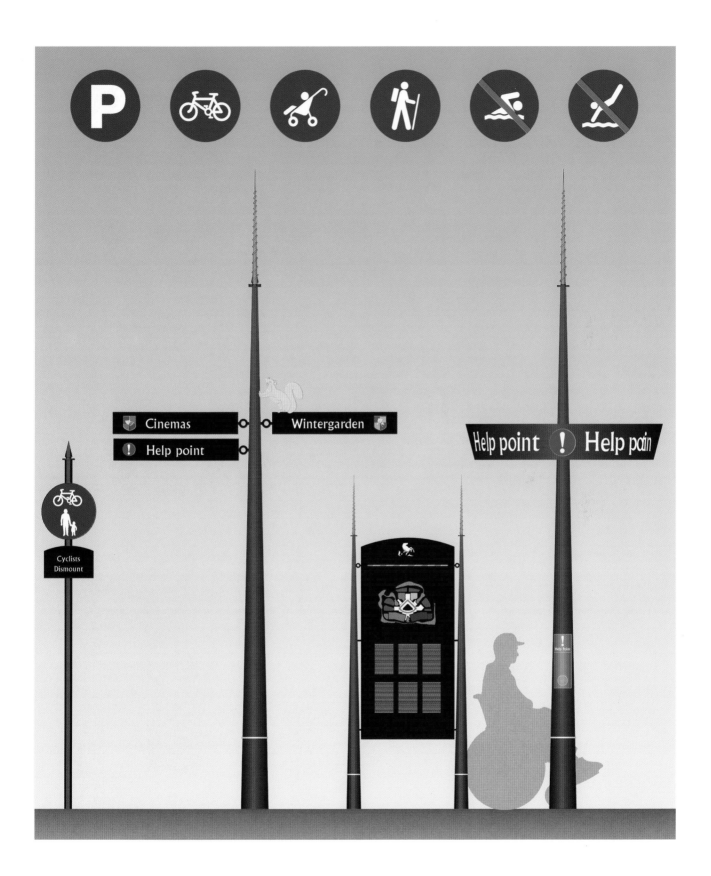

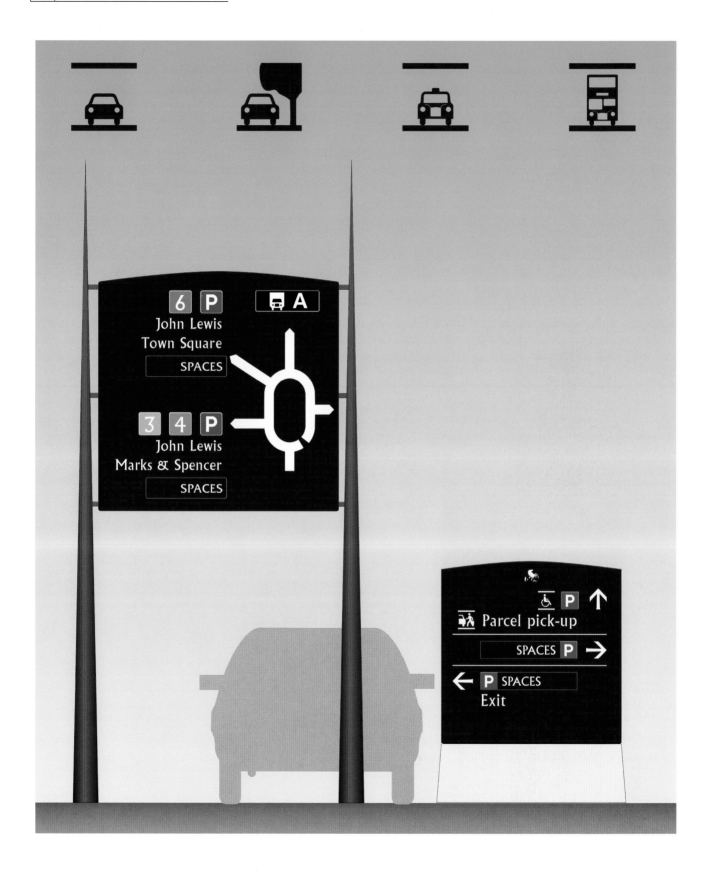

The Minale Tattersfield Book of Colour

CLIENT

Minale, Tattersfield & Partners

BRIEF

From an idea of Marcello Minale.

SOLUTION

The Minale Tattersfield Book of Colour was designed to mark the occasion of the company's European Partners Conference. A visualisation of colour in black and white using well recognised epithets, it also doubles as a Christmas card with the addition of a white insert bearing a Christmas message slipped in at the 'snow white' page.

CLIENTE

Minale, Tattersfield & Partners

BRIEF

Da un' idea di Marcello Minale.

SOLUZIONE

Il Libro dei Colori Minale Tattersfield è stato realizzato in occasione della Conferenza europea dei partner europei della nostra azienda. I colori sono visualizzati dal bianco e nero per mezzo di termini facilmente riconoscibili. Si sdoppia anche in un biglietto d'auguri natalizi, grazie all'aggiunta di un inserto che reca un messaggio di auguri infilato nella pagina «bianco neve».

CLIENT

Minale, Tattersfield & Partners

CONTEXTE

Une idée de Marcello Minale.

RESULTAT

Le Livre des couleurs Minale Tattersfield a été réalisé à l'occasion de la Conférence européenne des partners européens de notre société. Les couleurs sont visualisées en noir et blanc à l'aide de termes facilement reconnaissables. Il se double aussi en une carte de noël avec l'introduction d'un message de voeux enfilé dans la page "blanc neige".

brown

yellow

gold

silver

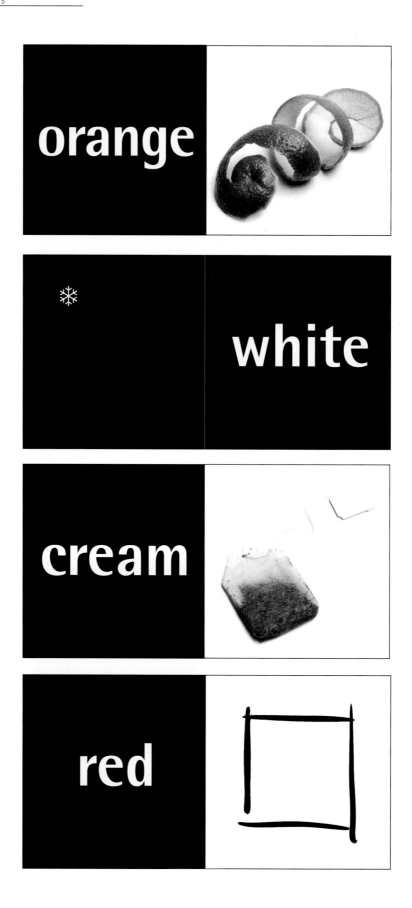

blue

green

grey

black

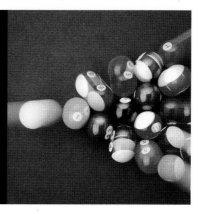

Henley Royal Regatta T-Shirts

CLIENT

Henley Royal Regatta

BRIEF

To design a series of T-shirts to commemorate the Henley Royal Regatta centenary.

SOLUTION

An effective design using a white T-shirt with a simple motif of the members' badge printed on the breast, complete with mock safety pin and string to attach it. With this T-shirt the exclusive club membership is available to everyone, (or so it appears).

CLIENTE

Henley Royal Regatta

BRIEF

Disegnare una serie di T-shirt commemorative del centenario della Henley Royal Regatta.

SOLUZIONE

Un disegno di comprensione immediata, su una T-shirt bianca che reca stampato sul petto un semplice motivo dello stemma dei soci, con una spilla e un nastro finti che lo reggono. Con questa maglietta di cotone l'appartenenza all'eclusivo yacht club diventa alla portata di tutti (almeno in apparenza).

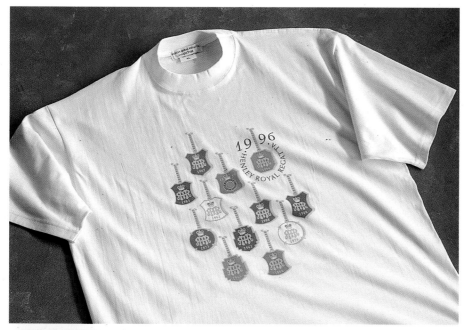

CLIENT

Henley Royal Regatta

CONTEXTE

Dessiner une série de Tee-shirts commémorant le centenaire de la Henley Royal Regatta.

RESULTAT

Un dessin simple sur un Tee-shirt blanc: le motif de l'emblème des membres est imprimé sur le devant avec un faux-semblant d'épingle et de ruban pour l'accrocher. Grâce à ce Tee-Shirt l'appartenance à ce yacht club exclusif est accessible à tous (au-moins en apparence).

Distrigaz	

CLIENT

Distrigaz

BRIEF

To create a more up-to-date and coherent symbol whilst retaining links with the previous identity.

SOLUTION

The symbol of the griffin is substituted for a winged lion which embodies a greater sense of positive values. The image is centred around the 3 most important elements of Distrigaz's business: the flame (to symbolise the product), the wings (to symbolise transport) and the head (to symbolise knowledge). This design, dignified and graceful, has become the standard under which the company operates.

CLIENTE

Distrigaz

BRIEF

Creare, pur mantenendo un legame con il logotipo passato,un simbolo più aggiornato e coerente.

SOLUZIONE

Il simbolo del griffone è stato sostituito con un leone alato che suggerisce un senso di positività. L'immagine ruota intorno a tre principali elementi collegati al business Distrigas: la fiamma (simbolizza il prodotto), le ali (simbolizzano il trasporto) e la testa (simbolizza la conoscenza). Il nuovo logotipo, più leggero ed elegante, è diventato la nuova immagine sotto cui la compania opera.

CLIENT

Distrigaz

CONTEXTE

Créer une image plus actuelle et plus cohérente sans marquer une rupture totale avec le passé.

RESULTAT

Transformation de la symbolique du griffon en lion ailé, porteur de valeurs plus positives. Nous avons concentré l'image sur les trois éléments importants du métier de Distrigaz; la flamme (symbole du produit), les ailes (symbole du transport) et la tête (symbole du savoir faire). Le dessin, plus noble et plus léger, devient le porte drapeau de cette enterprise qui évolue.

Oceania Football Confederation

CLIENT

Oceania Football Confederation

BRIEF

To design a new logo to project it's image as a world-class soccer organisation with a mission to develop the sport in that region. This followed it's appointment as official FIFA Confederation member.

SOLUTION

The symbol uses common Pacific images of the sun and palm tree along with a soccer ball. They illustrate the unity between the Oceania region and the game of soccer. The colours of gold, silver, green and blue were chosen to reflect the region's natural environment. Each of the stars on the upper ring represents an OFC member.

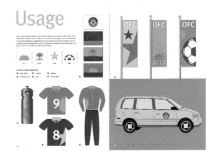

CLIENTE

Oceania Football Confederation

BRIEF

Progettare un nuovo logotipo in grado di promuovere l'immagine dell'organizzazione calcistica e di pubblicizzare lo sport nella regione. Tale confederazione è stata inoltre dichiarata ufficialmente membro da parte della FIFA.

SOLUZIONE

Il nuovo logotipo riproduce immagini tipiche del Pacifico: sole e palme accostate ad un pallone da calcio. L'immagine suggerisce chiaramente l'unione tra la regione Oceania ed il gioco del calcio. I colori scelti, oro, argento, verde e blu riflettono i colori della natura. Ciascuna stella della corona circolare rappresenta un membro OFC.

CLIENT

Oceania Football Confederation

CONTEXTE

Dessiner un nouveau logotype transmettant l'image d'une organisation de football de premier ordre. La decision suive leur nomination comme membre officiel de FIFA.

RESULTAT

Le symbole utilise les images bien connues du Pacifique - le soleil et le palmier mais avec un football. Tous ensemble, ils suggèrent l'unité entre la région d'Oceania et le jeu de football. Les couleurs d'or, de vert et de bleu étaient choisis pour refléter l'environnment de la région. Chaque étoile du rond supérieur représente un membre de l'OFC.

Les Trois Brasseurs

CLIENT

Les Trois Brasseurs restaurant chain

BRIEF

To design a new identity which communicates a traditional establishment with an in-depth knowledge of beer.

SOLUTION

An identity steeped in the traditions of beer etiquette is created, capitalising on the characters of the three brewers, (Les trois brasseurs). The choice of colours, the typographical style and the simple character illustrations convey a unique restaurant, but one which is clearly placed in the category of the traditional brasserie.

CLIENTE

La catena di ristoranti Les Trois Brasseurs

BRIEF

Progettare una nuova immagine che comunichi l'idea di un'impresa tradizionale con una profonda competenza nel prodotto birra.

SOLUZIONE

Un'immagine che affonda le radici nelle tradizioni che regolano la produzione e il consumo della birra e che si basa sui tre personaggi dei mastri birrai (les trois brasseurs). La scelta dei colori, lo stile tipografico e le semplici figure dei personaggi veicolano l'immagine di un ristorante eccellente, ma che si colloca senza equivoci nella categoria delle birrerie tradizionali.

CLIENT

Les Trois Brasseurs

CONTEXTE

La chaîne de restaurants « Les Trois Brasseurs » souhaitait une nouvelle identité communiquant sur la tradition et le savoir-faire de la bière.

RESULTAT

Utilisant les personnages des Trois Brasseurs, une identité visuelle dans la pure tradition des étiquettes de bières a été crée. Le choix des couleurs, la typographie et le dessin simplifié des personnages en font une enseigne de restaurant unique qui positionne clairement la chaîne comme brasserie traditionnelle.

Al-Shathry Consulting Engineers

CLIENT

Al-Shathry Consulting Engineers

BRIEF

To design a corporate identity for an engineering company based in Riyad and operating throughout the Gulf.

SOLUTION

A clean, modern symbol of a compass, the angle of which forms the 'A' of Al-Shathry. The logotype captures the spirit of the engineering business whilst the sandy colours reflect the traditional construction materials of the region.

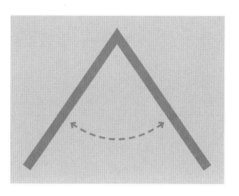

CLIENTE

Al-Shathry Consulting Engineers

BRIEF

Progettare l'immagine coordinata di uno studio di consulenza tecnica di Riyad, che opera nell'area del Golfo.

SOLUZIONE

Un simbolo nitido e moderno di un compasso, con un'angolazione che forma la "A" di Al-Shathry. Il marchio coglie lo spirito dell'attività di progettazione tecnica, mentre i colori sabbiosi rimandano ai tradizionali materiali di costruzione della zona.

CLIENT

Al-Shathry Consulting Engineers

CONTEXTE

Construire le système d'identification visuelle pour un bureau d'études techniques installé à Riyad et dont les activités concernent les pays du Golfe.

RESULTAT

Le symbole net et moderne d'un compas dont l'angle forme le "A" de Al-Shathry. Le bloc-marque exprime l'esprit de l'activité du bureau d'études alors que les couleurs sable renvoient aux traditionnels matériaux de construction de la région.

AL-SHATHRY
CONSULTING ENGINEERS

ABDULRAHMAN A AL-SHATHRY BSCE

PO BOX 8801 RIYADH 11492 KINGDOM OF SAUDI ARABIA
TELEPHONE 463 0705 FAX 462 7663

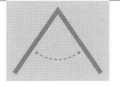

AL-SHATHRY
CONSULTING ENGINEERS

WITH COMPLIMENTS

PO BOX 8801 RIYADH 11492 KINGDOM OF SAUDI ARABIA   TELEPHONE 463 0705 FAX 462 7663

Sister Angelina

CLIENT	BRIEF	SOLUTION
Minale, Tattersfield & Partners	To design the company Christmas card/poster.	Sister Angelina!

CLIENTE	BRIEF	SOLUZIONE
Minale, Tattersfield & Partners	Disegnare il tradizionale biglieto d'auguri natalizi per l'anno in corso.	Sorella Angelina!

CLIENT	CONTEXTE	RESULTAT
Minale, Tattersfield & Partners	Dessiner la traditionnelle carte de voeux de Noël.	Soeur Angelina!

Minale Tattersfield Designers & Sister Angelina wish you a Merry Christmas and a Happy New Year

Minale Tattersfield Design Strategy. London Head Office: The Courtyard, 37 Sheen Road, Richmond, Surrey TW9 1AJ. Telephone: 0181-948 7999 Fax: 0181-948 2435 ISDN: 0181-332 2160 Email: mintat@cityscape.co.uk Website: http://www.mintat.co.uk

HEAD OFFICE:
Minale, Tattersfield and Partners Ltd. UK
The Courtyard, 37 Sheen Road,
Richmond, Surrey TW9 1AJ.
Tel: 0181 948 7999 Fax: 0181 948 2435
ISDN: 0181 332 2160 Email: mtp@mintat.demon.co.uk
http://www.mintat.co.uk

MTDS, FRANCE
192 avenue Charles de Gaulle
92200 Neuilly-sur-seine, France.
Tel: 00 33 1 41 92 97 00 Fax: 00 33 1 41 92 97 01
Email: mtds@worldnet.fr

Minale Tattersfield Italia, MILAN
Largo V Alpini 8, 20123 Milano, Italy.
Tel: 00 39 2 480 100 87 Fax: 00 39 2 480 082 08
Email: Sara@mintat.it
http://www.mintat.it

Minale, Tattersfield, Bryce & Partners Pty Limited
BRISBANE
212 Boundary Street, Spring Hill, Brisbane Qld 4000.
Tel: 00 61 7 3831 4149 Fax: 00 61 7 3832 1653

Minale, Tattersfield, Piaton & Partners, BUENOS AIRES
Maipú 859, 1006 Buenos Aires, Argentina.
Tel: 00 54 1 314 62 62 Fax: 00 54 1 314 77 30

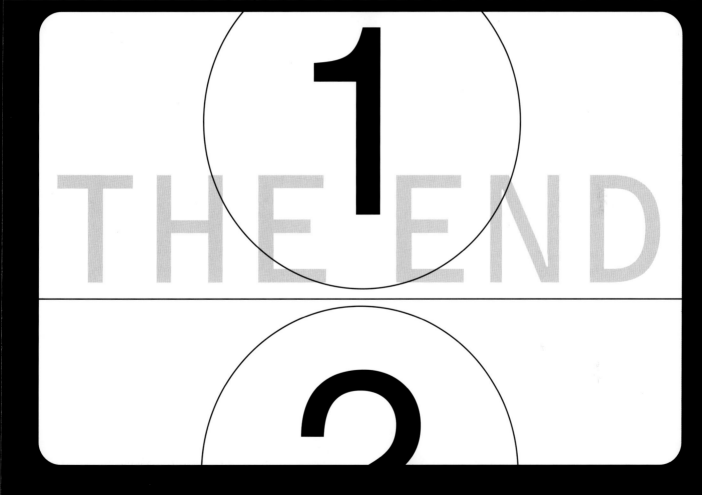